W9-DHI-224

19'600

Los Angeles

États-Unis

ALLER&RETOUR
GALLIMARD

Guides Aller & Retour
GUIDES GALLIMARD
TOURING CLUB ITALIANO

PRÉSIDENCE
Antoine Gallimard
TCI : Giancarlo Lunati
DIRECTION
Philippe Rossat,
assisté de Sylvie Lecollinet
TCI : Armando Peres
et Marco Ausenda,
assistés de Fiorenza Frigoni
DIRECTION ÉDITORIALE
Nicole Jusserand,
assistée de Catherine Bourrabier
TCI : Michele D'Innella,
assisté de Giovanna Rosselli
**RESPONSABLE
DE COLLECTION**
Anne-Josyane Magniant
TCI : Marisa Bassi
ÉDITION LOS ANGELES
Sophie Lenormand,
assistée de Andrew Bender
à Los Angeles (USA)
TRADUCTION LOS ANGELES
Catherine Ianco
GRAPHISME
Yann Le Duc,
assisté de Isabelle Dubois-Dumée
MAQUETTE LOS ANGELES
Olivier Lauga
MINI-CARTES
Édigraphie
CAHIER CARTOGRAPHIQUE
Touring Club Italiano
DROITS ÉTRANGERS
Gabriela Kaufman
PRESSE ET PARTENARIAT
Marie-Christine Baladi,
Manuèle Destors,
assistées de Blandine Cottet
COMMERCIAL
Jean-Paul Lacombe

Guides Aller & Retour Gallimard
5, rue Sébastien-Bottin 75007 Paris
ALLER-RETOUR@GUIDES.GALLIMARD.TM.FR

© *Nouveaux-Loisirs, Touring Editore*
Les erreurs ou omissions involontaires
qui auraient pu subsister dans
ce guide ne sauraient engager
la responsabilité de l'éditeur. Tous droits
de traduction, de reproduction et
d'adaptation réservés pour tous pays.

Dépôt légal : octobre 2000
Numéro d'édition : 93408
ISBN 2-7424-0658-1
Photogravure : France Nova Gravure
(Paris). Imprimé en Italie par
la Editoriale Lloyd. Octobre 2000

Auteurs Aller & Retour
LOS ANGELES

Arriver : Sophie Lenormand (1)
Née une valise à la main, S. Lenormand voyage depuis son plus jeune âge. Ses déplacements dans le monde entier, aux États-Unis en particulier, et sa collaboration à de nombreux guides Gallimard, en font la personne éclairée pour vous mener à bon port…

Dormir : Andrew Bender (2)
Épris de sa ville d'adoption, A. Bender partage cet enthousiasme avec les lecteurs de sa chronique gastronomique hebdomadaire de la section *Westside Weekly* du *L.A. Times*. Auteur de nombreux reportages pour les magazines *Travel & Leisure*, il rédige régulièrement des articles sur les hôtels pour *Fortune, In Style* et *Philadelphia Inquirer*.

Se restaurer : Karen Berk (3)
Coéditrice des *Zagat Los Angeles Restaurants* et *Marketplaces* depuis 1986, K. Berk est l'auteur des livres de cuisine *California Cooking* et *Los Angeles Food Guide*. Lorsqu'elle ne teste pas les quelque milliers de restaurants de Los Angeles, cette vice-présidente des Dames d'Escoffier professe l'art culinaire dans son école, *The Seasonal Table Cooking School*.

Sortir : Scott Arundale et Regan Kibbee (4)
Club promoters à Los Angeles depuis plus de 10 ans, S. Arundale et R. Kibbee affichent tous deux la même passion pour les musiques du monde. Parallèlement, Scott, un ancien DJ, produit des films et des vidéos musicales et Regan fournit sur Internet un carnet d'adresses des soirées les plus folles et étranges de la ville.

Voir et S'échapper : Valerie Summers (5)
Éditeur et rédactrice en chef du *Southern California Guide* pendant près de 20 ans, V. Summers gère aujourd'hui les sites Internet *S.C.G.* et *Travellady*. Ses voyages aux quatre coins du globe valent à cette Angelinos de collaborer au journal orléanais *Clarion Ledger*, au magazine de l'Indiana *Journeys* ainsi qu'au guide pour hommes d'affaires *Bradman's*.

Acheter : Andrea Schulte-Peevers (6)
Le soleil, la mer et son futur mari ont amené A. Schulte-Peevers à Los Angeles en 1987. Coauteur de guides sur Los Angeles et la Californie, elle collabore au magazine *Conde Nast Traveller* et aux journaux *L.A. Business Journal, San Diego Tribune* et *Denver Post*.

Comment utiliser ce guide

Près de là

- **Dormir** : page 34
- **Sortir** : page 8
- **Voir** : pages 86, 106 et 110
- **Acheter** : page 126

La rubrique **"Près de là"** renvoie aux pages où sont recommandés les établissements d'une autre partie, situés dans le même quartier.

Long Beach   F C3-4 - D3-4

La mini-carte, sur chaque double page, permet de localiser les établissements présentés dans la page à l'aide de **pastilles** aux couleurs de la partie concernée.

Le quartier est cité au-dessus de la carte. Un carroyage (**F** C3-4 - D3-4) permet de le repérer dans le cahier cartographique de la partie "Se repérer" en fin de guide.

Sans oublier

Sir Winston's (78) Queen Mary, 1 1 CA 90802 ☎ 562/435-3511 ●●●● *Le menu d'inspiration européenne, est étonnamment b*

La rubrique "Sans oublier" offre un choix d'adresses complémentaires ou incontournables dans le même quartier.

"Stop petit prix !" Cette étoile signale les hôtels et restaurants bon marché.

Les ouvertures proposent un index alphabétique (Arriver), thématique (Voir) ou géographique (Sortir), ainsi qu'un classement par gamme de prix (Dormir et Se restaurer) et des conseils utiles.

La partie "Arriver" rassemble toutes les informations concernant le voyage et la vie quotidienne à Los Angeles.

Les pages thématiques présentent une sélection d'établissements sur un thème donné.

La cartographie présentée dans la 8e partie du guide, intitulée "Se repérer", comporte 6 cartes détaillées de la ville dont une générale des *freeways,* et un index des rues.

Décalage horaire

Il est de 9 heures entre la France et la côte Ouest des États-Unis.
Lorsqu'il est 12h00 à Los Angeles, il est 21h00 en France.

➡ Arriver

Assurance maladie

Les soins sont onéreux et les hôpitaux n'acceptent pas les patients non assurés. Il est prudent de contracter une assurance individuelle avant de partir. Elle est souvent proposée par les agences de voyages ou fait partie des services annexes de votre carte bancaire.

Numéros verts
(Toll free numbers)

Les numéros 800 ne sont accessibles que des États-Unis. Pour les obtenir à partir de la France, remplacez l'indicatif :
800 par 880,
877 par 882,
et 888 par 881.
La communication est dès lors payante.

Courant électrique

Fonctionne en 110 V et 60 Hz avec des prises à 2 fiches plates. Un adaptateur et un transformateur sont indispensables pour utiliser des appareils français.

Formalités

Pour un séjour inférieur à 90 jours, pas de visa requis. Passeport valide 6 mois après la date de retour. Plantes, denrées périssables et semi-conserves sont formellement interdites.

Consulat des États-Unis
2, rue St-Florentin 75001 Paris ☎ 08 36 70 14 88

42
Informations
et conseils
indispensables
au voyage

PRÉSENTÉS PAR *SOPHIE LENORMAND*

Jours fériés

Ces jours-là, les Angelinos sont *out of town* (hors de la ville) et la plupart des établissements et services publics sont fermés. Les musées et les restaurants observent particulièrement les jours de fermeture pour Thanksgiving, Noël et le nouvel an.

New Year's Day 1er janvier (nouvel an)
Martin Luther King Jr.'s Day 3e lundi de janvier
President's Day 3e lundi de février
Easter lundi de Pâques
Memorial Day dernier lundi de mai
Independence Day 4 juillet (fête nationale)
Labor Day 1er lundi de septembre (fête du Travail)
Columbus Day 2e lundi d'octobre
Veterans Day 11 novembre (Armistice)
Thanksgiving Day 4e jeudi de novembre (journée d'action de grâce)
Christmas 25 décembre (Noël)

À savoir

Les vols internationaux vous feront atterrir à LAX, l'aéroport international de Los Angeles, situé en bord de mer, au sud de Santa Monica. Quant aux vols intérieurs, ils se répartissent sur les aéroports de LAX, Burbank et Long Beach, ces derniers étant respectivement à 22 km et 35 km de Downtown L.A.

Arriver

Avion

LAX (1)
L.A. International Airport
Renseignements
☎ 310/646-5252
La plupart des vols, nationaux et internationaux, atterrissent à LAX, 4ᵉ aéroport du monde dont le terme de trafic. Il comprend neuf aérogares dont le TBIT (*Tom Bradley International Terminal*). Les arrivées se font au rez-de-chaussée et les départs au premier niveau.
Theme Building
Ce bâtiment-symbole abrite à son sommet le très *jet set* restaurant, The Encounter. Idéal pour prendre un dernier verre avant de s'envoler.

The Encounter
☎ 310/215-5151
🕐 dim.-mer. 11h00-0h00 ; jeu.-sam. 11h00-1h30

Informations touristiques
Travelers Aid
Vous trouverez des bureaux au niveau Arrivée de chaque terminal.
☎ 310/646-2270
🕐 tlj 6h00-21h00
Quick Aid
Des écrans tactiles vous donneront tous types de renseignements.
Téléphones de courtoisie
À partir de ces téléphones vous pourrez effectuer vos réservations d'hôtel, de location de voiture…

Objets trouvés (Lost & Found)
☎ 310/417-0440
Police
☎ 310/646-7911

Douanes
☎ 310/215-2414
LAX Shuttles
Ces navettes gratuites blanches à rayures vertes et bleues vous transféreront vers une aérogare ou vers votre parking. La navette A fait le tour en boucle de l'aéroport.
🕐 24h / 24

Burbank (2)
Renseignements
☎ 818/840-8847
Situé à environ 22 km au nord-ouest de Downtown L.A., cet aéroport offre une bonne alternative si vous prenez un vol intérieur.
Des navettes gratuites rallient régulièrement le Downtown de Burbank.

Long Beach Airport (3)
Renseignements
☎ 562/570-2600
Petit aéroport national, situé à quelque 10 km du centre de Long Beach.

Liaisons aéroports

Courtesy trams
Les grands hôtels affrètent leurs propres navettes ou limousines gratuites. Leur faire signe pour qu'ils s'arrêtent.
Van Stop
Moins onéreux que le taxi, ces mini-bus payants, opérant 24h / 24, vous déposeront à l'adresse souhaitée. Le choix de la compagnie dépend de la destination. Se renseigner

auprès du bureau des *ground transportation* situé à côté des carrousels à bagages.
● env. $ 22
Prime Shuttle
☎ 800/262-7433
Super Shuttle
☎ 310/782-6600
Coast Shuttle
☎ 310/417-3988
Bus
La *LAX shuttle C* vous conduira au LAX Transit Center où vous pourrez prendre un bus MTA (➜ 11). Pour Downtown L.A. prenez le n° 439, et pour West Hollywood et Beverly Hills le n° 220. Renseignements auprès des *ground transportation* ou par téléphone au ☎ 213/626-4455
Metro Rail
La *LAX shuttle G* vous déposera à la station de métro de la Green Line située à Vicksburg

Ave et 96th St. Voir plan ➜ 11.
● env. $ 1,35
Taxi
Cher, étant donné les distances à parcourir. Un *dispatcher* vous remettra un dépliant précisant les tarifs forfaitaires.
● env. $ 28 pour Downtown ; $ 32 pour Hollywood ; $ 95 pour Disneyland

Location de voiture

Empruntez la navette gratuite de la compagnie qui passe devant chaque terminal. Pour quitter l'aéroport ou y revenir demandez un plan au loueur.
● env. $ 25-45 / j. ; $ 120-200 / sem. / sus. 8,25 % taxes ; assurance LDW (*loss-damage-waiver*) $ 9-11 / j. ; assurance LSI (*Liability supplement Insurance*) env. $ 20 / j.

Alamo
☎ 800/327-9633
Avis
☎ 800/831-2847
Budget
☎ 800/527-0700
Entreprise
☎ 800/736-8222
Hertz
☎ 800/654-3131
National
☎ 800/227-7968
Thrifty
☎ 800/367-2277

Train

Empruntez le *Coast Starlight* qui longe la côte Ouest au départ de Seattle, le *Sunset Limited* qui traverse les États du Sud depuis la Floride ou bien encore le *Southeast Chief* qui part de la côte Est en passant par Chicago. Tous les trains arrivent à **Union Station (4)** 800 N. Alameda St.
☎ 213/683-6979
Amtrak
Pour connaître les horaires et tarifs.
☎ 800/872-7245
www.amtrack.com

Autocar

La compagnie *Greyhound* dessert Los Angeles au départ des grandes villes américaines. Les véhicules sont confortables et climatisés et les tarifs attractifs, quoique certains billets d'avion peuvent être parfois moins chers.
Greyhound
☎ 800/231-2222
Selon votre destination, vous pourrez choisir entre l'une des 4 gares routières :
Downtown (5)
Terminus principal 1716 E. 7th Street (Alameda St.)
☎ 213/629-8421
Hollywood (6)
1409 N. Vine St.
☎ 323/466-9384
Santa Monica (7)
4th St. (entre Colorado Blvd et Broadway)
Long Beach (8)
464 W. 3rd St.
☎ 562/432-7780

À Los Angeles, on ne marche pas, on roule. Au royaume de la voiture le réseau des *freeways* s'étend sur plus de 1 600 km de voies facilitant les liaisons directes entre chaque ville. Le bus parcourt tout le comté, offrant un moyen économique pour visiter les différents quartiers de L.A.

Arriver

En voiture

À moins d'avoir tout son temps ou un budget très limité, la voiture s'avère être le seul moyen pratique de locomotion. Certaines règles bien californiennes sont cependant à respecter et, lorsque c'est possible, éviter les heures de pointe (7h00-10h00 et 15h00-19h00).

Thomas Guide
Cette "bible" est le compagnon inséparable des Angelinos. Il s'agit d'un atlas routier de la ville avec index. En vente en librairie.

Radios infos trafic
Pour connaître 24h / 24 l'état des routes.
KNX 1070 AM
KFWB 980 AM

Freeways

Ne soyez pas impressionné ! Les *freeways* de L.A. sont peut-être les voies les plus rapides et les plus faciles à utiliser au monde. Toutefois il vous sera utile de mémoriser leurs noms et numéros. La règle générale indique que les numéros pairs vont d'est en ouest, et les numéros impairs du nord au sud. *(Numéros et noms des freeways* ➦ *146)*

Code de la route

Hormis les règles internationales de conduite (port de la ceinture de sécurité, etc.), voici quelques particularités californiennes.

Vitesse

En règle générale, la vitesse est limitée en ville à 35 mph (56 km/h), et à 65 mph (110 km/h) sur les *freeways*. Attention ! vous pouvez être aussi bien verbalisé pour vitesse excessive que pour vitesse trop lente. Sachez que les contrôles se font par hélicoptère.

Feu rouge

Sauf si contre-indiqué, vous pouvez tourner à droite à un feu rouge, en cédant néanmoins le droit de passage aux voitures et aux piétons.

Diamond lanes

Parfois, sur les *freeways*, la voie à l'extrême gauche de la chaussée est séparée des autres par une double ligne jaune. C'est une *diamond lane*, réservée aux *car pools*, véhicules transportant plus de 2 personnes. Comptez-vous si vous ne voulez pas payer plus de $ 300 d'amende !

Stop All Way

Très souvent, les carrefours ont 4 stops. La priorité est au premier arrivé. En cas d'arrivée simultanée, le droit de passage revient à celui de droite.

Stationnement

Parking
Se garer dans la rue dans certains quartiers peut se rapprocher de l'exploit et coûter une petite fortune

● *env. ¢ 25 / 15min*

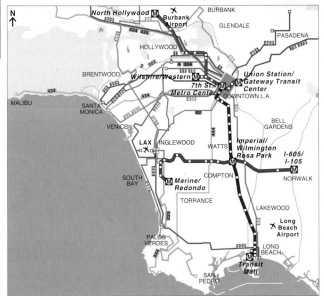

Contravention

Les agents n'ont de cesse de verbaliser : un *ticket* peut vous coûter au minimum $ 38 pour dépassement horaire ou stationnement interdit.

Signalisation

Certains quartiers résidentiels sont interdits le soir, aux heures de pointe (grandes artères) ou de nettoyage, etc. Et respectez scrupuleusement les couleurs de bandes sur les trottoirs : *rouge : interdit ; jaune : livraison ; blanc : dépose ou prise d'un passager ; vert : 20 min max ; bleu : handicapés.* Pour plus de tranquillité, utilisez les parkings qui proposent des tarifs à l'heure ou à la journée. Ceux un peu excentrés proposent des tarifs plus attractifs.

En moto

Se prendre pour un *Easy Rider* et rouler sur la mythique Route 66 vers l'océan Pacifique à Santa Monica est un rêve tout à fait réalisable. De plus, le climat est idyllique.
● *$ 75-150 / j.*
Rent a Custom Harley-Davidson
4161 Lincoln Blvd, Marina del Rey
☎ *310/578-0112*
Eaglerider
20917 Western Ave, Torrence
☎ *310/320-3456*

À pied

Les Angelinos chercheront à vous ôter cette idée de la tête. Mais ne vous laissez pas intimider, certains quartiers méritent une visite à pied. Toutefois, observez le code piéton. Le *jaywalking* (traverser hors des passages ou au feu vert) est pénalisé d'une lourde amende.

En bus

Plus de 208 lignes sillonnent la métropole. Ce vaste réseau est géré par plusieurs compagnies.
Metropolitan Transit Authority (MTA)
Plusieurs bureaux de renseignements (tous fermés le week-end) dont : *ARCO Plaza, floor C, 515 Flower St.*
☎ *800/266-6883*
🕐 *lun.-ven. 7h30-15h30*
Certaines lignes, telles la n°2 qui parcourt Sunset Boulevard ou la n°434 menant à Malibu, vous permettront de voir L.A. à moindre coût.
🕐 *5h00-2h00 ; ttes les 15 min.*
● *$ 1,35 ; transfert ¢ 25 ; freeway express $ 1,85-3,85*
DASH
Le *Downtown Area Short Hop* couvre Downtown L.A., de Chinatown à Exposition Park.
☎ *808-2273*
🕐 *lun.-ven. 6h30-*

18h30 ; sam.-dim. ; ttes 6-15 min.
● *¢ 25*
Big Blue Bus
Ce service de la ville de Santa Monica dessert tout le Westside de L.A. Le n°14 vous mènera au Getty Center et le n°10 à Downtown L.A.
☎ *310/253-6500*
🕐 *tlj. 5h30-0h00 (dim. 6h30)*
● *¢ 50 ; freeway express $ 1.25*

Metro Rail

Le réseau offre trois lignes :
Blue line (bleue)
Downtown - Long Beach
Red line (rouge)
Downtown - Universal City
Green line (verte)
Redondo Beach - Norwalk (connexion avec la Blue line à Imperial/ Wilmington)
● *$ 1,35*
🕐 *5h00-11h00 ; ttes les 15 min.*

Accidents

Ayez le réflexe de composer le 911.

Réputés pour leurs fabuleuses soirées et fêtes, les Angelinos sont en réalité des couche-tôt. Mais aussi des lève-tôt : ils commencent dès 6h00 (avec un footing) et vont rarement au-delà de 22h00, voire 2h00 pour les plus fêtards. Prenez le rythme, le climat aidant, vous n'aurez aucune difficulté.

Arriver

Tourisme

Los Angeles Convention and Visitors Bureau

Downtown L.A. (9)
685 S. Figueroa St.,
☎ 213/689-8822
🕐 lun.-ven. 8h00-17h00 ; sam. 8h30-17h00

Hollywood
Janes House, 6541 Hollywood Blvd,
☎ 213/689-8822
🕐 lun.-sam. 9h00-17h00
Certaines villes ont leur propre office de tourisme.

Beverly Hills
239 S. Beverly Dr.,
☎ 310/271-8174
🕐 lun.-ven. 8h30-17h00

Long Beach
1 World Trade Center, Suite 300
☎ 562/436-3645

Pasadena
171 S. Los Robles Avenue,
☎ 626/795-9311

Santa Monica (1)
520 Broadway, Suite 250
☎ 310/319-6263
🕐 lun.-ven. 9h00-17h00
1400 Ocean Blvd,
☎ 310/393-7593
🕐 tlj. 9h00-18h00

Argent

Monnaie (2)
L'unité monétaire est le dollar ($) divisé en 100 cents (¢). Il existe des billets de 100, 50, 20, 10, 5, 2 (rare et légal) et 1 dollar. Les pièces portent les noms de penny (1 ¢), nickel (5 ¢), dime (10 ¢) et quarter (25 ¢). Ayez toujours un lot de quarters, quotidiennement utilisés pour les parcmètres, les distributeurs et les transports.

Change
$ 1 = 6 à 7 FF

Thomas Cook
Pour connaître le bureau le plus proche, contactez :
☎ 800/287-7362

Banques
Les plus grandes à L.A. sont Bank of America, First Federal et Union Bank.
🕐 lun.-jeu. 10h00-17h00 ; ven. 10h00-18h00 ; sam. 10h00-13h00
Distributeurs ATM
Outre les banques, de plus en plus de commerces (de la station service à l'épicerie) sont équipés de distributeurs automatiques.

Cartes de crédit
Hors règlements courants, elles sont indispensables pour toute réservation téléphonique et la caution lors

d'une location de voiture.

Taxes
Non incluses dans les prix indiqués. Comptez 8,25 % en sus pour la plupart des marchandises et services. Taxes hôtels ➡ 14.

Pourboire
Il n'est jamais compris dans l'addition et, à moins que le service soit exécrable, il doit être rajouté. Bar et restaurant entre 15-20 % ; taxis 10-15 %.

Médias

Presse (3)
Disponible dans la plupart des hôtels, en kiosque ou dans les distributeurs aux coins des rues.
Quotidiens (4)
Los Angeles Times ; Daily News ; Orange

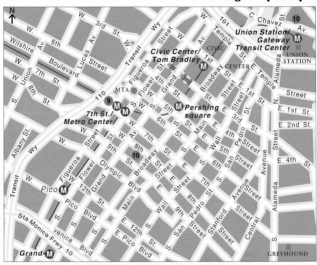

8

3

6

County Register ;
Long Beach Press
Telegram ;
Pasadena Star News
Magazines (5)
L.A. Magazine ;
zeigeist
Spécialisés dans
le monde du
spectacle :
Variety ;
Hollywood Reporter
Gratuits (6)
Excellentes sources
pour les spectacles.
L.A. Weekly ; New
Times ; Showtime ;
The Argonaut
**Presse
internationale**
Universal
News Agency
1655 N. Las
Palmas, Hollywood
☎ 213/467-3850
☼ 10h00-0h00
Farmer's Market
6333 W. Third Ave,
Los Angeles
☼ 8h00-19h00
Radios
Il y a plus de 100
stations de radio

FM à Los Angeles.
88.1 KLON (jazz) ;
101.1 KRTH (rock) ;
105.1 KKGO
(musique classique) ;
106.7 KROQ
(rock alternatif)

Téléphone (7)
Renseignements
☎ 411
☎ 0 (opératrice)
Numérotation
Pour tout numéro
dans la même
zone indicative :
tapez les 7 chiffres
du correspondant.
En dehors de cette
zone, composez
le 1 suivi de
l'indicatif puis
du numéro.
Indicatifs de L.A.
213 Downtown ;
323 Hollywood ;
310 Beverly Hills,
West L.A.,
Santa Monica,
South Bay ;
626 Pasadena ;
818 San Fernando;
562 Long Beach

**International
France-U.S.**
Composer le 001
puis l'indicatif
suivi du numéro.
U.S.-France
Faire le 011-33
suivi du numéro
sans le 0 initial.
Phone cards
Dans les hôtels, les
communications
peuvent être
majorées de ¢ 50
à $ 1,50, même
pour un appel
local ! Utilisez
plutôt les phone
cards. Disponibles
dans les offices
de tourisme.
● $ 10, 20 ou 30
Appels en PCV
☎ 1-800/473-7262

Courrier
Poste (8)
Déposez votre
courrier affranchi
dans les boîtes
aux lettres bleues,
siglées US mail.
● $ 1 pour l'Europe

Downtown L.A. (10)
900 N. Alameda Ave
☎ 213/617-4641
☼ lun.-ven. 8h00-
17h00 ; sam. 9h00-
12h00

Consulats
☼ lun.-ven. 9h00-
12h00
Belgique
6100 Wilshire Blvd,
L.A., CA 90048
☎ 323/857-1244
France
10990 Wilshire Blvd,
Suite 300, L.A.,
CA 90024
☎ 310/235-3200
Urgences
☎ 310/477-3965
Suisse
11788 Wilshire Blvd,
Suite 1400, L.A.
CA 90025
☎ 310/575-1145

Urgences
**Police, pompiers,
ambulance, etc.**
☎ 911 (gratuit)
Police LAPD
☎ 213/485-3294

Tarifs négociables

De nombreux hôtels proposent des *week-end packages*, des *corporate rates* destinés aux sociétés mais accessibles aux particuliers, des réductions pour les retraités ou les membres de clubs automobiles, ainsi que pour un long séjour. N'hésitez pas à demander une réduction, négociez à l'avance et demandez une confirmation écrite.

Dormir

Fameux bars d'hôtels

Trader Vic's ➡ 70 (Beverly Hilton Hotel)
Bar Marmont ➡ 72 (Chateau Marmont)
The Sky Bar ➡ 72 (Mondrian Hotel)
Toppers (Radisson Huntley Hotel)
Gallery Bar (Regal Biltmore Hotel)
Top of the Five (Westin Bonaventure Hotel)

Tips
(pourboire)
On laisse généralement :
$ 1 / j. à la femme de chambre
$ 1 par bagage au portier
$ 1-2 au voiturier
$ 5 au concierge.

Les prix Pour une chambre double standard, les prix sont donnés hors taxes. Rajouter la taxe d'État de 8,25 %, plus 14 % de taxe de séjour. Les tarifs varient selon la saison et la disponibilité : ils peuvent passer du simple au double en périodes de convention et pendant la haute saison (fév.-oct.).

68
Hôtels

SÉLECTIONNÉS ET PRÉSENTÉS PAR *ANDREW BENDER*

Les chaînes d'hôtels

Elles sont présentes dans les plus grands sites stratégiques de Los Angeles.

Économique ($ 50-90)
Day Inn ☎ 800/325-2525
Econo Lodge ☎ 800/446-6900
Motel 6 ☎ 800/466-8356
Super 8 Motel ☎ 800/800-8000
Travel Lodge ☎ 800/255-3050
Vagabond Inn ☎ 800/522-1555

Moyenne de gamme ($ 90-170)
Best Western ☎ 800/528-1234
Comfort Inn ☎ 800/228-5150
Howard Johnson ☎ 800/654-2000
Quality Inn ☎ 800/228-5151
Radisson ☎ 800/333-3333
Ramada Inn ☎ 800/272-6232

Près de là

➔ **Se restaurer** : pages 38 et 40
➔ **Sortir** : page 74
➔ **Voir** : pages 86, 88 et 90
➔ **Acheter** : page 128

Dormir

Westin Bonaventure Hotel & Suites (1)

404 S. Figueroa Street, Los Angeles, CA 90071 ☎ 213/624-1000

(entre 4ᵗʰ et 5ᵗʰ Sts) **M** 7ᵗʰ St., Pershing Square **P** 🚗 *1 354 chambres (dont 176 suites)* ●●● ▢ ⊙ Ⅲ ⚌ ♨ Lobby Court ⍰ Market ◆ ⊠ ⊠ ⊡ ⊠ ⊠ ⊞ ⊠ ⊠ 800/937-8461 @ abon@westin.com

Ce monument construit dans les années 70 a les défauts et qualités de Los Angeles : il est énorme. Tellement, qu'il faudrait un plan pour s'y retrouver ! Les (petites) chambres se répartissent dans les cinq cylindres de verre de cet hôtel-ville qui peut s'enorgueillir d'un nombre incroyable de prestations.

Wyndham Checkers Hotel (2)

535 S. Grand Avenue, Los Angeles, CA 90071 ☎ 213/624-0000

(6ᵗʰ St) **M** 7ᵗʰ St., Pershing Square **P** 🚗 *188 chambres (dont 2 suites)* ●●● ▢ ⊙ ⊡ ⊡ ⚌ Checkers Ⅲ ♨ ⊠ ◆ ⊠ ⊠ ⊠ ◆ ⊠ ⊠ 800/996-3426

Ce charmant hôtel perdu dans des canyons de Downtown a su fidéliser sa clientèle grâce à son service personnalisé et à sa localisation discrète. Du toit, le regard embrasse Bunker Hill et les lumières de la ville. Le Checkers Restaurant compte parmi les meilleures adresses de L.A.

The Regal Biltmore Hotel (3)

506 S. Grand Avenue, Los Angeles, CA 90071 ☎ 213/624-1011

(5ᵗʰ St) **M** Pershing Square **P** 🚗 *693 chambres (dont 15 suites)* ●● ▢ ⊙ ⊡ ⊡ ⚌ Ⅲ ♨ Smeraldi's, Sai Sai ⊠ Gallery, Grand Avenue ⍰ Biltmore Bakery ◆ Club Lounge ⊠ ⊠ ⊠ ◆ ⊠ ⊠ ⊞ ⊠ ⊠ 800/245-8673

Ce somptueux palace des années 20 force l'admiration. Il hébergea la première cérémonie des oscars ainsi que la Convention des démocrates de 1960 qui mena J. F. Kennedy à la présidence. Les chambres douillettes aux profonds fauteuils, réchauffées de tentures et de voilages, respirent l'élégance du temps jadis. Celles du Biltmore Club sont plus vastes et un service personnalisé est proposé par une équipe d'une rare efficacité.

Hotel Figueroa (4)

939 S. Figueroa Street, Los Angeles, CA 90015 ☎ 213/627-8971

(9ᵗʰ St.) **M** 7ᵗʰ St. **P** *285 chambres (dont 2 suites)* ●● ▢ ⊡ ⊡ Ⅲ ♨ Pasta Firenze, Music Room ⊠ Veranda ⊠ ⊠ ⊠ ⊞ ◆ ⊠ ⊠ 800/421-9092

Un mélange de style hispano-mexicain, une débauche de matériaux nobles et de couleurs chaudes donnent à ce grand classique de 1927 son petit cachet désuet. Ses lits en fer forgé trônant dans les vastes chambres et son gracieux hall d'entrée rappellent le passé hispanique de L.A.

Sans oublier

■ **Hotel Inter-Continental Los Angeles at California Plaza (5)**
251 S. Olive St., Los Angeles, CA 90012 ☎ 213/617-3300 ●●●● *Un jardin-sculpture fait office de lobby dans cet hôtel élégant et contemporain. Grandes chambres aux douces couleurs californiennes* ■ **New Otani Hotel (6)**
120 S. Los Angeles St., Los Angeles, CA 90000 ☎ 213/629-1200 ●●● *Célèbre pour son jardin japonais sur le toit, avec chutes d'eau et bassins, et ses restaurants japonais très cotés.* ■ **Miyako Inn (7)** 328 E. 1ˢᵗ St., Los Angeles, CA 90012 ☎ 213/617-2000 ●● *Prisé par les hommes d'affaires, cet hôtel de Little Tokyo possède de nombreuses chambres de style japonais et un vaste bar à karaoké.*

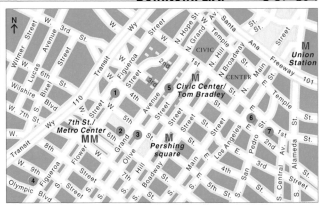

L'ancien cœur de Los Angeles est resté un centre de la culture et des affaires. Downtown, en pleine renaissance, s'est doté de vastes monuments comme le Convention Center, le stade de Staples Center et le futur Disney Concert Hall.

➡ Dormir

Saga Motel (8)
1633 E. Colorado Blvd, Pasadena, CA 91101 ☎ 626/795-0431

(Sierra Bonita) 🅿 *70 chambres* ● 🔲 🔲 🔲 🔲 ⭐ 🔲 *800/793-7242*

Non seulement vous êtes sur la Route 66, mais vous pouvez aussi y dormir. Ce motel familial, construit à la grande époque de cette voie mythique reliant la côte Est à la côte Ouest, a conservé sa décoration années 50, et les photos qui décorent ses chambres vous ramènent aux premiers jours de l'histoire locale. Prix défiant toute concurrence et personnel attentif.

Ritz Carlton Huntington Hotel & Spa (9)
1401 S. Oak Knoll Avenue, Pasadena, CA 91106 ☎ 626/568-3900

(Alpine St.) 🅿 *392 chambres (dont 26 suites)* ●●●● 🔲 🔲 🔲 🔲 🔲 *The Terrace, The Grill* 🔲 *The Bar* 🔲 *The Lobby Lounge* 🔲 🔲 🔲 🔲 🔲 🔲 🔲 🔲 *800/241-3333*

Un grand classique de la Californie du Sud. Cette gracieuse demeure de 1906 est entourée de plus de 10 ha de jardins bien peignés, véritable invitation à la promenade. Dans ce cadre raffiné, discret et élégant, les chambres, déclinant des bleu-gris et vert sauge, sont décorées dans un style vieille Europe. Depuis le Lounge on aperçoit, au-delà de la piscine olympique (première de Californie) et des jardins, le Downtown de L.A.

Bissell House B & B (10)
201 Orange Grove Ave, South Pasadena, CA 91030 ☎ 626/441-3535

(Columbia Ave) 🅿 *5 chambres (dont 1 suite)* ●● 🔲 🔲 🔲 🔲 🔲 🔲 ⭐ 🔲 🔲 *800/441-3530*

L'"avenue des millionnaires" fut longtemps la destination des grosses fortunes du Middle West en quête de soleil et de détente. L'une d'elles, Anna Bissell McCay, fille de Melville Bissell, des aspirateurs du même nom, s'y fit construire une maison en 1887. Aujourd'hui maison d'hôte, on peut y découvrir son intérieur victorien ponctué de photos de famille.

Artist's Inn B & B (11)
1038 Magnolia St., South Pasadena, CA 91030 ☎ 626/799-56681

(Fairview) 🅿 *9 chambres (dont 3 suites)* ●● 🔲 🔲 🔲 🔲 🔲 🔲 🔲 🔲 *888/799-5668* @ *artistsinn@artistsinn.com*

Un personnel chaleureux et une atmosphère conviviale contribuent à l'agrément et à l'intimité de cette ancienne ferme. De coquettes maisons ont désormais poussé sur les champs environnants, créant une petite bourgade américaine typique. Les chambres s'inspirent des toiles de Van Gogh, Grandma Moses, Gauguin et des impressionnistes. Un jeu de croquet attend les visiteurs sur la vaste pelouse et dans le jardin fleuri de cent massifs de roses.

Sans oublier

■ **Doubletree Hotel (12)** 191 N. Los Robbles Ave, Pasadena, CA 91101 ☎ 626/792-2727 ●●● *Cet hôtel à proximité du Convention Center offre aux visiteurs un service amical et accueillant.* ■ **Pasadena Hilton (13)** 150 S. Los Robbles Ave, Pasadena, CA 91101 ☎ 626/577-1000 ●●● *Un décor tout en bois et marbre souligné par un savant éclairage lui confère une élégance subtile.*

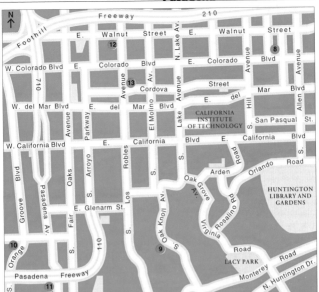

Pasadena reste à l'écart de Los Angeles, son élégance à l'ancienne, ses demeures prestigieuses, ses excellents musées ➡ 92 et son célèbre Rose Bowl en faisant une cité bien à part. Le boom des années 90 a transformé sa vieille ville assoupie en un quartier plein d'animation.

Près de là

 Se restaurer : page 44
 Sortir : pages 68, 70, 74, 76, 78 et 80
 Voir : pages 86, 96 et 98
 Acheter : pages 132 et 134

Dormir

Hollywood Hills Magic Hotel (14)

7025 Franklin Avenue, Los Angeles, CA 90028 ☎ 323/851-0800

(Sycamore Dr.) Ⓜ *Hollywood* Ⓟ *43 chambres (dont 40 suites)* ● ▢ ▣ ▨ ▥ ▨ ▨ ⊠ ▨ ▨ *800/741-4915* @ *info@magichotel.com*

Cette résidence hôtelière construite à flanc de colline, autour de sa piscine centrale, est agréablement calme et lumineuse. La plupart des chambres, confortables à défaut d'être luxueuses, sont des suites pour une ou deux personnes. Son nom s'inspire du club très privé des magiciens, le Magic Castle, situé sur la colline au-dessus et pour lequel vous pourrez vous procurer des tickets auprès du sympathique personnel.

Orange Drive Manor (15)

1764 N. Orange Drive, Los Angeles, CA 90028 ☎ 323/850-0350

(entre Franklin Ave et Hollywood Blvd) Ⓜ *Hollywood* Ⓟ *43 chambres* ● ▤ ▣

La quiétude règne dans ce manoir des années 20 pourtant situé au cœur d'Hollywood et reconverti en auberge de jeunesse. Il n'offre pas le même confort que les grands hôtels et aucune enseigne ne le signale aux regards, mais les initiés ne jurent que par lui. Les choix proposés vont des chambres-dortoirs à la chambre individuelle.

Orchid Suites Hotel (16)

1753 N. Orchid Avenue, Los Angeles, CA 90028 ☎ 323/874-9678

(entre Franklin Ave et Hollywood Blvd) Ⓜ *Hollywood* Ⓟ *40 chambres (dont 16 suites)* ● ▨ ▢ ▣ ▨ ▥ ▨ ▨ ▨ ▨ ▨ *800/537-3052* @ *info@orchidsuites.com*

Pour le moment, cette résidence hôtelière semble égarée à l'ombre du futur Academy Theater. Profitez-en tant que ses prix restent abordables. Ses chambres sont très confortables, et ses hôtes d'humeur joviale. Chaque chambre possède sa cuisine équipée, mais on peut aussi prendre son petit déjeuner continental dans le hall ou au bord de la piscine.

Hollywood Roosevelt Hotel (17)

7000 Hollywood Boulevard, Los Angeles, CA 90028 ☎ 323/466-7000

(N. Orange Dr.) Ⓜ *Hollywood* Ⓟ ▨ *335 chambres (dont 35 suites)* ●● ▢ ▣ ▨ ▥ ▥ ▨ *Theodore's* Ⓨ *Teddy's* ▢ *Grand Central Café* ▨ ▨ ▨ ▨ ▨ ▨ ▨ ▨ *Cinegrill* ▨ ▨ *800/950-7667* @ *sales@hollywoodroosevelt.com*

Ce palace de 1927, où eut lieu la première cérémonie des Academy Awards, demeure un classique du genre malgré une récente rénovation sous le thème plutôt coloré d'Arlequin ! On s'imagine aisément les stars du Hollywood d'hier se mélanger à la foule dans le Spanish Lobby. Selon la légende, les fantômes de Marilyn Monroe et Montgomery Clift y feraient de temps en temps leur *come back* ! Au Cinegrill, les meilleurs chansonniers, succédant à leurs illustres aînés, continuent de créer cette ambiance nonchalante. N'oubliez pas de visiter la mezzanine où une exposition photographique retrace l'histoire d'Hollywood de 1886 à 1945.

Sans oublier

■ **Highland Gardens Hotel (18)** 7047 Franklin Ave, Los Angeles, CA 90028 ☎ 323/850-0536 ● *Les vastes appartements, tous équipés d'une cuisine, donnent sur un jardin intérieur verdoyant agrémenté d'une piscine.*

Hollywood a connu une longue période de décadence à la fin du XXe siècle. Son avenir s'annonce désormais meilleur grâce à l'édification du nouveau Times Square, dont l'Academy Theater accueillera désormais la cérémonie annuelle des oscars. De nombreux hôtels pratiquent des prix raisonnables, mais cela pourrait changer d'ici quelques années.

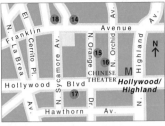

17

18

18

17

Près de là
- **Se restaurer :** pages 46 et 48
- **Sortir :** pages 68, 72, 74, 76, 78 et 82
- **Voir :** pages 86 et 102
- **Acheter :** page 136

Dormir

The Argyle (19)
8358 Sunset Blvd, West Hollywood, CA 90069 ☎ 323/654-7100

(Sweetzer Ave) P 🅿️ *64 chambres (dont 44 suites)* ●●●● ⊟ ⏱ ▣ ☎ ▥ 🛗 Ⅲ 🍴 *Fenix* ▤ ✳ ✚ ✕ ✳ ✹ ✵ 🅥 *800/225-2637* @ rez@argylehotel.com

Cet édifice de 1931 se distingue par sa splendeur Art déco et par sa vue étourdissante sur L.A. Le superbe *lobby* conserve un ameublement d'époque agrémenté de photos du vieil Hollywood, et les chambres, véritables petits écrins, disposent d'une zone salon et d'une salle de bains de marbre aux accessoires noir et blanc. Le restaurant, près de la piscine, est très coté pour sa cuisine californienne relevée d'une touche cajun.

The Standard (20)
8300 Sunset Blvd, West Hollywood, CA 90069 ☎ 323/650-9090

(Sweetzer Ave) P 🅿️ *138 chambres (dont 2 suites)* ●● ⊟ ⏱ ▣ ☎ 🛗 Ⅲ 🍴 ▤ ✳ ✕ ✵ ✲ ✹ ✵

Avec ses fauteuils-bulles et son hall recouvert du sol au plafond par une moquette hirsute, The Standard cultive un style pince-sans-rire et le délire années 60 à la *Austin Powers*. Mention spéciale pour la piscine, bordée de gazon artificiel bleu cobalt, pour son barbier-tatoueur et pour les ventilateurs des chambres, dont les commandes indiquent "Souffler, fort, très fort, stop" !

Mondrian (21)
8440 Sunset Blvd, West Hollywood, CA 90069 ☎ 323/650-8999

(Olive Dr.) P 🅿️ *238 chambres (dont 187 suites)* ●●●●● ⊟ ⏱ ▣ ☎ 🛗 Ⅲ 🍴 *Asia de Cuba* ▤ *Sky Bar* ➡ 72 ✳ ✕ ✲ ✚ ✵ ✳ ✹ ✵ 🅥 *800/525-8029*

Un hôtel plein d'astuces et d'humour avec ses portes gigantesques qui ne donnent nulle part, ses pots de fleurs surdimensionnés et sa piscine spectaculaire. Ici, on cultive la beauté plastique : le moindre réceptionniste pourrait figurer sur la couverture d'un magazine de mode. Réservations conseillées au restaurant et même - eh oui ! - au Sky Bar. Y entrer relève de l'exploit, mais les clients de l'hôtel ont droit à un traitement de faveur.

Sans oublier

■ **Sunset Marquis Hotel & Villas (22)** 1200 Alta Loma Rd, West Hollywood, CA 90069 ☎ 213/624-1011 ●●●● *Une oasis de raffinement où tout le monde a droit à un traitement de star ! Les chambres ont vue sur le jardin ou la colline, tandis que les élégantes villas sont les repaires de l'industrie du disque.* ■ **Le Parc Suite Hotel (23)** 8822 Cynthia St., West Hollywood, CA 90069 ☎ 310/855-8888 ●●●●● *Cet hôtel, installé dans un ancien immeuble résidentiel, comprend des suites de belles dimensions. Terrain de tennis et de basket-ball sur le toit !* ■ **Le Reve Hotel (24)** 8822 Cynthia St., West Hollywood, CA 90069 ☎ 310/854-1114 ●● *Située dans dans une rue calme, une auberge meublée dans un style campagnard français.* ■ **Chateau Marmont (25)** 8221 Sunset Blvd, Hollywood, CA 90046 ☎ 323/656-1010 ●●● *Une clientèle de célébrités fréquente cet hôtel des années 20 aux allures de château normand.* ■ **Ramada West Hollywood (26)** 8585 Santa Monica Blvd, West Hollywood, CA 90069 ☎ 213/617-2000 ●● *D'une blancheur immaculée, c'est le seul hôtel du boy's town, rendez-vous mondial des homosexuels.* ■ **San Vincente Inn (27)** 845 N. San Vincente Blvd, West Hollywood, CA 90069 ☎ 310/854-6915 ●● *Populaire auprès de la communauté gay. Vastes suites et cottages et une piscine où le degré de vêture est laissé à la discrétion des usagers !*

Le Sunset Strip est très
certainement la partie la plus
célèbre de Sunset Boulevard.
Il suffit de voir ses hôtels pour
comprendre pourquoi.
Au pied de la colline, le long
de Santa Monica Boulevard,
s'étend le *boy's town* de West
Hollywood, la mecque de la
communauté homosexuelle.

Près de là

▶ **Se restaurer :** pages 50, 52 et 56
▶ **Sortir :** pages 70 et 72
▶ **Voir :** pages 86 et 102
▶ **Acheter :** pages 126, 140 et 142

Dormir

Beverly Hills Hotel (28)
9641 Sunset Blvd, Beverly Hills, CA 90210 ☎ 310/276-2251

(Crescent Dr.) 🅿 🏊 *203 chambres (dont 27 suites, 22 bungalows)* ●●●●●
▢ ⏱ ▢ ☎ Ⅲ ⬆ Ⅲ ᴴ *The Polo Lounge* 🍷 🎵 *The Fountain Coffee Shop*
🎵 *The Sunset Lounge* 🍴 💈 ♨ 🎾 🔲 ⚕ ✂ 📺 *800/283-8885*

Déjà à l'époque de Clark Gable, ce palace rose symbolisait le luxe style
Beverly Hills. Au détour de ses luxuriants jardins, se dissimulent sous les
bougainvilliers et les hibiscus les bungalows, chacun se singularisant par
un détail personnalisé : meubles d'époque, piano à queue, voire piscine
privée - fort apprécié de la jet society.

Regent Beverly Wilshire (29)
9500 Wilshire Blvd, Beverly Hills, CA 90212 ☎ 310/275-5200

(entre Rodeo et Beverly Drs) 🅿 🏊 *396 chambres (dont 120 suites)* ●●●●● ▢
⏱ ▢ ☎ Ⅲ ⬆ Ⅲ ᴴ *The Lobby Lounge, The Dining Room* 🍷 🎵 *The Lobby
Lounge* 🍴 💈 ✚ ♨ 🎾 🔲 ⚕ 📺 *800/421-4354*

Le plus somptueux hôtel de Beverly Hills est une référence depuis plusieurs
générations. Son hall d'entrée pavé de marbre, ses restaurants élégants
et les chambres de la tour adjacente représentent le nec plus ultra du luxe
hôtelier. C'est ici que Richard Gere emmène Julia Roberts dans *Pretty Woman*.

Penninsula Beverly Hills (30)
9882 Little Santa Monica Blvd, Beverly Hills,
CA 90212 ☎ 310/551-2888

(Wilshire Blvd) 🅿 🏊 *164 (dont 32 suites, 16 villas)* ●●●●● ▢ ⏱ ▢ ☎ Ⅲ
⬆ Ⅲ ᴴ *The Belvedere* 🍷 *The Club Bar* 🎵 *The Roof Garden* 🎵 *The Living
Room* 🍴 💈 ✂ ✚ ♨ 🎾 🔲 📺 *800/462-7899* @ *pbh@penninsula.com*

Au cœur de Beverly Hills, imprégnez-vous du chic des hôtels d'autrefois.
Dissimulées dans une oasis de verdure, les villas d'un étage, équipées de
2 chambres, cuisine, salon avec cheminée et patio, servent fréquemment
de refuge aux célébrités qui s'y sentent comme à la maison.

Sans oublier

■ **L'Ermitage (31)** 9291 Burton Way, Beverly Hills, CA 90210 ☎ 310/
278-3344 ●●●●● *Cet hôtel cultive une élégance sans faute tout en demi-tons.
Chambres spacieuses, contemporaines avec une touche asiatique, ornées de meubles
anglais en sycomore.* ■ **Avalon (32)** 9400 Olympic Blvd., Beverly Hills, CA
90212 ☎ 310/277-5221 ●●● *Le comble du chic rétro. Fut la résidence un temps
de Marilyn Monroe. Ses 88 chambres déclinant les tons vert et eau sont intimes
et meublées de créations. Très agréable jardin zen sur le toit.* ■ **Renaissance
Beverly Hills (33)** 1224 S. Beverly Dr., Los Angeles, CA 90035 ☎ 310/277-
2800 ●●●● *Ce gratte-ciel offre un service chaleureux, des aménagements de luxe
et des vues superbes. Ses chambres lumineuses sont tout en camaïeux de rose saumon
et de blanc crème.* ■ **Four Seasons Beverly Hills (34)** 300 S. Doheny
Dr., Los Angeles, CA 90048 ☎ 310/273-2222 ●●● *Un hôtel réputé pour son
service attentif et son souci du détail, qui va jusqu'à disposer des fleurs fraîches dans
la salle de bains.* ■ **Beverly Hilton (35)** 9876 Wilshire Blvd, Beverly Hills,
CA 90212 ☎ 310/274-7777 ●●●● *À deux pas des boutiques du Triangle d'Or
➡ 142, l'hôtel de Merv Griffin abrite le fameux Trader Vic's ➡ 70.* ■ **Beverly
Hills Inn (36)** 125 S. Spalding Dr., Beverly Hills, CA 90212 ●● ☎ 310/278-
0303 *Charmant hôtel disposant d'une piscine chauffée et offrant des prix attractifs.*

De nombreux hôtels locaux
caracolent en tête des
classements internationaux,
contribuant à l'aura de luxe
de Beverly Hills. De nouveaux
établissements, de dimensions
plus modestes, réservent
toutefois d'excellentes surprises.

Près de là

➡ **Se restaurer :** pages 46, 54 et 56
➡ **Sortir :** page 74
➡ **Voir :** pages 86 et 104
➡ **Acheter :** page 126

➡ Dormir

Bel-Air Hotel (37)
701 Stone Canyon Road, Los Angeles, CA 90077 ☎ 310/472-1211

(Sunset Blvd) 🅿 ⚡ *92 chambres (dont 40 suites)* ●●●●● ▭ ⓪ ▣ ☎ Ⅲ▸ ⚙
Ⅲ ⑪ ⑪ *The Restaurant* ➡ 46 ▾ ▣ ⚙ ⊠ ⊠ ⑫ ✚ ⊗ ⊠ ⊞ ✦

Cet hôtel, ouvert en 1946, est fait pour les romantiques. Des sentiers
serpentent dans son parc verdoyant, parmi les bassins où s'ébattent les
cygnes. On se croirait dans la campagne française, et non dans la deuxième
métropole américaine ! Quelques chambres sont équipées d'une cheminée
que le personnel se fera un plaisir d'allumer. Les concierges sont célèbres
pour leurs multiples talents et le restaurant est l'un des meilleurs de L.A.

Luxe Summit Hotel Bel-Air (38)
11461 Sunset Blvd, Los Angeles, CA 90049 ☎ 310/476-6571

(Church Lane) 🅿 ⚡ *162 chambres (dont 58 suites)* ●●● ▭ ▣ ☎ Ⅲ▸ ⚙ Ⅲ
⑪ *Cafe Bel-Air* ▾ ⚙ ⊠ ⊠ ⑫ ✚ ⊗ ⊠ ⊞ ✦ ⚘ ⓥ 800/468-3541

Ces deux édifices contemporains sont des havres de tranquillité nichés
à flanc de colline dans un cadre verdoyant. De nombreuses chambres
ont vue sur la ville ou sur le Getty Center, régulièrement desservi par
la navette de l'hôtel. La maison est fréquentée par des célébrités du
sport et du spectacle, parmi lesquelles John Travolta et un certain
O. J. Simpson, mais le personnel ne fait pas de favoritisme.

W (39)
930 Hilgard Avenue, Los Angeles, CA 90024 ☎ 310/208-8765

(Le Conte Ave) ⚡ *280 suites* ●●●● ▭ ⓪ ▣ ☎ Ⅲ▸ ⚙ Ⅲ ⑪ *Mojo* ▾ ▣ ⊠
⑫ ✚ ⊗ ⊠ ⊞ ⓞ ✦ ⚘ ⓥ 877/946-8357

Pour le nouveau millénaire, le W s'est offert un superbe lifting. Ses suites
sont vastes et élégantes, pourvues de matelas aux oreillers intégrés, de
couettes de duvet, d'une vue fabuleuse et de nombreux gadgets. Le staff
s'identifie auprès de chaque client afin de personnaliser le service. Quant au
décor, camaïeu de noir, de vert pâle et de gris, il est frais, mais pas froid. Il
n'y a pas une, mais deux piscines, et le lobby ressemble à une salle de jeu.

Century Wilshire Hotel (40)
10776 Wilshire Blvd, Los Angeles, CA 90024 ☎ 310/474-4506

(entre Malcom et Selby) 🅿 *99 chambres (dont 60 suites)* ●● ▭ ▣ ☎ Ⅲ ⊠
⊗ ✦ ⓥ 800/421-7223 @ cwhotel@aol.com

Installé dans un ancien immeuble d'habitation, ce drôle de *bed and
breakfast* à l'européenne, dénué de toute prétention, enserre une jolie
cour centrale aux stores blanc et bleu. Il n'est pas luxueux, mais
les chambres sont vastes, et souvent équipées d'une cuisine.

Sans oublier

■ **Holiday Inn Bentwood (41)** 170 N. Church Lane, Los Angeles,
CA 90049 ☎ 310/476-6411 ●●● *La plupart des chambres de cette tour
cylindrique ont vue sur l'océan ou sur la ville. Demandez le côté mer, plus calme.*
■ **Hilgard House (42)** 927 Hilgard Avenue, Los Angeles, CA 90024
☎ 310/208-3945 ● *Atmosphère universitaire dans cette intime demeure, voisine
de l'UCLA ➡ 104, au mobilier Early American et aux bibliothèques bien fournies.*

Ces quartiers, communément appelés le Westside ou West L.A., ont renoué avec le succès à la fin des années 90, quand le Getty Center ➥ 104 s'est installé à Brentwood et que Westwood, voisin de l'UCLA ➥ 104, est redevenu une destination pour les Angelinos en quête de restaurants et de divertissements. Les hôtels, anciens et récents, ont suivi le mouvement.

37

39

Près de là

- ▶ **Se restaurer :** pages 46, 56 et 58
- ▶ **Sortir :** pages 68, 70, 74 et 80
- ▶ **Voir :** pages 86, 106 et 108
- ▶ **Acheter :** pages 126 et 144

➤ Dormir

Channel Road Inn (43)
219 West Channel Rd, Santa Monica, CA 90402 ☎ 310/459-1920

(Pacific Coast Highway) **P** *14 chambres (dont 2 suites)* ●●● ▫ ▪ ▣ ▥ ▨ ▧ ✦ ☼ @ *channelinn@aol.com*

Un *bed and breakfast* à la mode de la Nouvelle-Angleterre, dans une maison de style Craftsman typique de Santa Monica. Les pièces communes comprennent une confortable salle pour le petit déjeuner et un jacuzzi (on est en Californie !), et la maison met à disposition des bicyclettes pour sillonner Santa Monica Canyon et la plage jusqu'à Venice ➡ 106.

Hotel Oceana (44)
849 Ocean Avenue, Santa Monica, CA 90403 ☎ 310/393-0486

(Montana Ave) ▥ *63 suites* ●●●●● ▨ ▫ ▣ ▪ ✦ ▪ ▥ ▨ ✕ ✦ ☼ ▥ *800/777-0758* @ *beachsuite@aol.com*

Les suites luxueuses, aux murs bleu cobalt ou d'un jaune profond, s'inspirent de la Riviera française. Les draps s'ornent de jours, les vastes salles de bains sont en marbre, mais le charme de l'Oceana est surtout dû à l'intimité de son patio avec piscine et à son personnel aux petits soins. Préférez une chambre avec vue sur l'océan Pacifique.

Fairmont Miramar (45)
101 Wilshire Blvd, Santa Monica, CA 90401 ☎ 310/576-7777

(Ocean Blvd) **P** ▥ *302 chambres (dont 61 suites)* ●●●●● ▫ ▣ ▪ ✦ ▪ ▥ ▥ ▥ *The Grill, The Cafe* ▥ ▨ ▥ ▥ ✦ ✕ ▥ ▥ ✦ ☼ ▥ *800/4866-5577*

Depuis l'ouverture, en 1889, de son premier bungalow, le Fairmont Miramar est le repaire des chefs d'État, des hommes d'affaires et des stars, comme en témoignent ses nombreuses photos de célébrités. Les petits bungalows aux planchers de bois avoisinent la piscine et les jardins verdoyants. Ses chambres, un peu plus vastes, ont des balcons d'où l'on profite pleinement de la vue sur l'océan et sur Palisade Park ➡ 108.

Sans oublier

■ **Shangri-La (46)** 1301 Ocean Ave, Santa Monica, CA 90401 ☎ 310/627-8971 ●● *Cet hôtel Streamline Modern de 1939, célèbre pour sa clientèle de stars - de Diane Keaton à Bill Murray -, n'en demeure pas moins un lieu étonnant pour son décor années 30 version contemporaine.* ■ **The Georgian (47)** 1415 Ocean Ave, Santa Monica, CA 90401 ☎ 310/395-9945 ●●●● *Les fantômes de Clark Gable, de Carole Lombard et du gangster Bugsy Siegel hantent encore ce joyau Art déco à la façade bleu pastel. Depuis la véranda, on peut déguster son petit déjeuner tout en admirant la mer.* ■ **Hosteling International Youth Hostel (48)** 1432 2nd St., Santa Monica, CA 90401 ☎ 310/393-9913 ● *Peut-être l'auberge de jeunesse la mieux située au monde. Chambres-dortoirs pour dix et chambres doubles ; pas de salle de bains particulière, mais les draps sont inclus.* ■ **Cal Mar Suites & Hotel (49)** 220 California Ave, Santa Monica, CA 90401 ☎ 310/395-5555 ●● *Cet hôtel discret offre de vastes appartements donnant tous sur la piscine centrale.* ■ **Radisson Huntley Hotel (50)** 1111 2nd St., Santa Monica, CA 90403 ☎ 310/394-5454 ●●● *Une tour aux chambres confortables, avec vue sur l'océan et un mobilier de style géorgien. Le restaurant Topper sur le toit est célèbre pour ses happy hours.* ■ **Hotel Carmel (51)** 201 Broadway, Santa Monica, CA 90401 ☎ 310/451-2469 ●● *Datant de 1924, cet hôtel est basique mais confortable et bien tenu.*

Dans les années 90,
la "république populaire
de Santa Monica" est devenue
le "Beverly Hills-sur-Mer".
Sa plage, ses nombreux
restaurants, boutiques et loisirs
en font l'une des villes les plus
animées des États-Unis.

46

43

44

51

43

Près de là

 Se restaurer : pages 56 et 60
 Sortir : pages 68, 70, 74 et 80
 Voir : pages 86, 96, 106 et 108
 Acheter : pages 126 et 144

▶ Dormir

Hotel California (52)
1670 Ocean Avenue, Santa Monica, CA 90401 ☎ 310/393-2363

(entre Colorado Ave et Pico Blvd) **P** ❙ *26 chambres (dont 6 suites)* ●● ▢ ▣
☎ 📠 ✱ 📺 800/537-8483 @ info@hotelca.com

Certes, ce motel n'est pas l'*Hotel California* de la chanson des Eagles.
Il n'en reste pas moins une alternative sympathique et pleine d'humour
à ses luxueux voisins, une sorte de "*bed and breakfast* sans le breakfast",
selon les termes du personnel. Des planches de surf sont peintes sur
la façade, décorée de céramiques anciennes aux couleurs vives. Les
chambres intimes aux planchers de bois sont équipées de réfrigérateurs.

Hotel Casa del Mar (53)
1910 Ocean Front Walk, Santa Monica, CA 90405 ☎ 310/581-5533

(Appian Way) **P** ❙ *129 chambres (dont 20 suites)* ●●●●● ▢ ▣ 🕐 ▣ ☎ ❙
▌ ▥ 🍴 *Oceanfront* 🍸 *The Lounge* 🍽 📠 ✚ 🏊 🎾 ⊞ ☘ 📺 800/898-6699
@ reservations@hotelcasadelmar.com

Construit en 1926, cet hôtel de style géorgien a subi un lifting irréprochable,
comme en témoignent son spacieux lobby, son vaste escalier pavé de
céramique qui s'élance dans le vestibule, et sa vue de rêve sur la plage.
Les salles de bains comportent un jacuzzi et d'amusantes ouvertures
donnant sur les chambres, réputées pour le confort de leurs lits.

Cadillac Hotel (54)
8 Dudley Avenue, Venice, CA 90291 ☎ 310/399-8876

(entre Speedway et Ocean Front Walk) **P** *40 chambres (dont 5 suites)* ● ▢ ▣
☎ ▥ 🍽 ✱ ☘ @ cadillac@deltanet.com

Ce bâtiment Art déco rénové, à deux pas de la plage, est intime, moderne
et original. Le bar du lobby, aux couleurs éclatantes, fait aussi salle de jeu
et arbore une table de billard et un morceau du mur de Berlin.

Sans oublier

 The Venice Beach House (55) 15 Thirtieth Ave, Venice, CA 90291
☎ 310/823-1966 ●● *Sa charmante architecture Craftsman et ses 9 chambres
douillettes et confortables en font une agréable surprise. Il y règne encore le souvenir
de Charlie Chaplin qui y séjourna quelque temps.* ■ **Le Merigot Beach
Hotel (56)** 1740 Ocean Ave, Santa Monica, CA 90401 ☎ 213/627-8971
●●●●● *Le charme du Merigot, contredit par une façade digne d'une forteresse,
doit beaucoup à son personnel sympathique, ainsi qu'à ses chambres spacieuses,
aux vues superbes et aux salles de bains à l'anglaise.* ■ **Shutters on the
Beach (57)** 1 Pico Blvd, Santa Monica, CA 90401 ☎ 310/459-0030 ●●●●●
*Ce vaste hôtel en bordure de plage évoque la Nouvelle-Angleterre. Critère local
d'élégance, il comprend deux bâtiments décorés d'œuvres d'artistes très cotés,
comme le Californien David Hockney.* ■ **Loews Santa Monica Beach
Hotel (58)** 1700 Ocean Ave, Santa Monica, CA 90401 ☎ 310/458-6700
●●●●● *Ce grand classique vous rappellera peut-être quelque chose : Burt Reynolds
y prend un verre près de la piscine dans The Player de Robert Altman. Il a subi
son premier lifting en l'an 2000 et son atrium a été agrémenté de palmiers hauts
de quatre étages.* ■ **Marina Pacific Hotel (59)** 1697 Pacific Ave, Venice,
CA 90291 ☎ 310/452-1111 ●● *Les chambres sont vastes et joliment peintes
dans des tons sable et azur. Plusieurs d'entre elles ont des balcons d'où l'on
aperçoit un bout d'océan. Un coin tranquille au cœur de la trépidante Venice.*

L'extrémité sud de Santa Monica, au charme un peu décalé, est brusquement devenue l'une des zones hôtelières de luxe les plus actives de L.A. Quant à Venice et son côté plutôt artistique, il regorge de petits hôtels et auberges de charme très abordables.

Près de là
- **Se restaurer :** pages 56 et 62
- **Sortir :** page 80
- **Voir :** pages 86 et 106
- **Acheter :** pages 126 et 144

Dormir

Barnabey's Hotel (60)
3501 Sepulveda Blvd, Manhattan Beach, CA 90266 ☎ 310/545-8466

(Rosecrans Ave) 🅿 121 chambres ●● ▦ ◖ ▦ ▦ ▦ ▦ *Auberge Restaurant*
▼ *Barnabey's Pub* ▦ ▦ ▦ ▦ ▦ ◉ ✦ ▼ 800/552-5285

À première vue, ce bâtiment sur le très passant boulevard n'a rien
de bien engageant, jusqu'à ce qu'on pousse sa porte, située à l'arrière,
dans une rue des plus tranquilles. L'intérieur évoque plus Londres que
Los Angeles. Il est même plus londonien que nature avec ses imprimés
victoriens, ses dentelles et ses motifs floraux. Mais comme on est en
Californie, il y a aussi une piscine et un luxuriant jardin semi-tropical,
le tout à quelques encablures de Manhattan Beach ➡ 106.

Sea View Inn (61)
3400 Highland Ave, Manhattan Beach, CA 90266 ☎ 310/545-1504

(34ᵗʰ St.) 🅿 19 chambres (dont 2 suites) ● ▦ ▦ ▦ ▦ ▦ ▦ ✦ ▦

Cette pléiade de petits bâtiments se trouve à quelques pas de la plage
et de la joyeuse vie nocturne de Manhattan Beach ➡ 106. Les chambres
n'ont rien d'extraordinaire, mais elles sont confortables et disposent
d'un réfrigérateur et d'une salle de bains, comme à la maison. Le
personnel, très attentif, fournit des draps de bain, des sièges de plage
et même des bicyclettes pour la piste cyclable. Si vous êtes sensible
au bruit, demandez une chambre loin de Highland Avenue.

Sea Sprite Hotel (62)
1016 The Strand, Hermosa Beach, CA 90254 ☎ 213/627-8971

(10ᵗʰ St.) 🅿 70 chambres (dont 15 suites) ● ▦ ▦ ▦ ▦ ▦ ✦ ▦

Pas de restaurant, pas de chambre de luxe, pas de chocolats sur
la table de nuit et... pas de problèmes au Sea Sprite Hotel. Difficile
de se plaindre, en effet, quand votre chambre donne juste sur la plage,
à un bloc des meilleurs restaurants et boutiques d'Hermosa Beach,
et que les prix restent raisonnables. Ameublement de style appartement
et cuisine dans de nombreuses chambres.

Portofino Hotel & Yacht Club (63)
260 Portofino Way, Redondo Beach, CA 90277 ☎ 310/379-8481

(Harbor Dr.) 🅿 163 (dont 2 suites) ●●● ▦ ▦ ▦ ▦ ▦ ▦ *Pooch's* ▼ ▦
▦ ✦ ▦ ▦ ✦ ▦ ▼ 800/468-4292 @ *portofinosales@compuserve.com*

Cet hôtel contemporain est le seul établissement de luxe de South Bay.
Côté mer, le regard se perd jusqu'à la péninsule de Palos Verde et l'île
de Catalina ➡ 122. Côté terre, le spectacle animé du port vous entraîne
dans un autre monde. Les chambres du rez-de-chaussée ont toutes leur
pont privé. Et, comme son nom ne l'indique pas, le Pooch's Restaurant
(littéralement "restaurant du Cabot") sert les meilleures spécialités
italiennes. De préférence, demandez une chambre côté océan.

Sans oublier

■ **Palos Verdes Inn (64)** 1700 S. Pacific Coast Highway, Redondo Beach,
CA 90277 ☎ 310/316-4211 ●● *À 3 blocs de l'océan, sur la très animée Pacific Coast
Highway (PCH). N'hésitez pas à goûter à l'excellente cuisine de Chez Melange ➡ 62.*

Les villes de Manhattan Beach, Hermosa Beach et Redondo Beach sont célèbres pour leur mode de vie décontracté. Ici, on est loin du Downtown financier, du Beverly Hills ultrachic ou du West Hollywood showbusiness.

63

Près de là
▪ **Se restaurer** : pages 56 et 64
▪ **Sortir** : page 8
▪ **Voir** : pages 86, 106 et 110
▪ **Acheter** : page 126

Dormir

Lord Mayor's Inn (65)
435 Cedar Street, Long Beach, CA 90802 ☎ 562/436-0324

(5th St.) 🅼 *Pacific Ave* 🅿 *13 chambres* ● 🔲 🔲 🔲 @ innkeepers@lordmayor's.com

Construite en 1904, cette élégante demeure édouardienne fut
la résidence du premier maire de la ville, Charles H. Windham.
Transformée à présent en *bed and breakfast*, Laura et Reuben Brasser,
les aubergistes, réservent à leurs hôtes un accueil familial et chaleureux.
Leur soigneuse restauration leur a valu d'être récompensés en 1999
par le prix "Preservationnist of the Year" de Long Beach. Les chambres,
comme la Margarita's Room (anciennement celle de la fille du maire),
sont meublées d'époque. Au fil des ans, la maison a annexé deux autres
demeures d'époque de 1906, les Apple et Cinnamon Houses, très pratiques pour
les familles qui souhaitent disposer de leur propre espace.

Inn of Long Beach (66)
185 Atlantic Avenue, Long Beach, CA 90802 ☎ 562/435-3791

(Broadway) 🅿 *45 chambres (dont 1 suite)* ● 🔲 🔲 🔲 🔲 🔲 〰
🔲 *800/230-7500*

L'architecture fin 1960 de ce motel chaleureux et sans chichis
s'harmonise avec celle de sa piscine, de bonnes dimensions, et
de sa zone jacuzzi. Les prix, raisonnables, comprennent le petit déjeuner
continental, la location gratuite de films (les télévisions sont équipées
de magnétoscopes), un réfrigérateur et le téléphone local gratuit.

Dockside Boat & Bed (67)
Dock 5, Rainbow Harbor, Long Beach, CA 90802 ☎ 562/436-3111

(Pine Ave) 🅿 *3 cabines* ●● 🔲 🔲 🔲 🔲 🔲 🔲 *800-4-DOCKSIDE*
@ boatandbed@oal.com

Certes, on est à quelques décennies des fastueux décors d'antan du *Queen
Mary*, mais cette formule n'en est pas moins dépourvue de piment et
tout aussi luxueuse. Vous pouvez au choix réserver un yacht de luxe à
moteur ou à voile plus ou moins grand (32 à 68 pieds) selon le nombre
de personnes. L'équipage, sympathique et professionnel, s'efforce de
satisfaire tous désirs : dîner aux chandelles, sorties en mer avec skipper…
Au bout du quai, Shoreline Village possède boutiques et restaurants.

Queen Mary (68)
1126 Queens Highway, Long Beach, CA 90802 ☎ 562/435-3511

🅿 🔲 *367 cabines (dont 8 suites)* ●● 🔲 🔲 🔲 🔲 🔲 *Sir Winston's* ➡ *64,
The Chelsea, The Promenade Cafe* 🔲 *The Lobby Bar* 🔲 🔲 🔲 🔲 🔲 🔲
🔲 *The Observation Bar* 🔲 *800/437-2934*

Qui n'a rêvé de passer une nuit à bord d'un transatlantique, même s'il
ne doit jamais lever l'ancre ? Véritable légende internationale et principale
attraction locale ➡ 110, le *Queen Mary*, lancé en 1929, abrite 375 cabines
que l'on peut louer à la nuit. La plupart ont conservé leur ameublement
d'origine et les gadgets de luxe qui font d'une croisière une aventure
mémorable. Véritable ville flottante, le navire offre de nombreuses
prestations : restaurants, distractions et boutiques qui suffiront amplement
à remplir la journée. À moins que vous ne préfériez monter sur la proue
du bateau pour jouer aux rois du monde, à l'instar des héros du *Titanic*.

Légèrement à l'écart du cœur de
la fièvre hollywoodienne, Long Beach
est un havre de paix tourné vers
les îles de Santa Catalina, les cités
balnéaires et les plages du littoral
de la côte sud-est et du tout proche
Disneyland ➡ 116.

Dîner n'est pas souper !

Les Angelinos dînent relativement tôt. L'heure de pointe se situe entre 19h00 et 20h00. Si vous comptez dîner tard, téléphonez préalablement car les restaurants ferment plus tôt en cas de faible affluence.

➡ Se restaurer

Dîner de stars ?

Avec un peu chance, vous trouverez votre star préférée dînant à l'une de ces tables.

The Restaurant ➡ 46
Chinois on Main ➡ 58
Crustacean ➡ 50
KoKoMo ➡ 52
Lucques ➡ 48
Maple Drive ➡ 50
Matsuhisa ➡ 48
Nate 'n' Al's ➡ 50
Musso & Frank Grill ➡ 44
Patina ➡ 44
Pink's Hot Dog ➡ 44
Spago Beverly Hills ➡ 50

Les prix

Les prix indiqués dans ce guide correspondent à un prix moyen par personne pour un apéritif, un plat principal et un dessert, boissons (taxes et pourboire non compris).

Pourboires

Prévoir entre 15 % et 20 % de pourboire (*tip*) ou doubler le montant de la taxe (8,25 %). Si vous réglez par carte bancaire : inscrire le montant de votre tip sous le total à régler, faire l'addition et signer.

La cuisine californienne

La gastronomie de Los Angeles reflète la diversité de sa population. Depuis les années 70, les restaurants locaux, fers de lance de la cuisine californienne, se sont imposés par leur utilisation de produits frais et légers comme par leur esprit d'innovation et leur infatigable créativité. L'influence des régions du Pacifique est omniprésente : les bars à sushis foisonnent et les restaurants français n'hésitent pas à relever leurs plats avec des épices asiatiques.

79
Restaurants

SÉLECTIONNÉS ET PRÉSENTÉS PAR *KAREN BERK*

Près de là
■✈ **Dormir** : page 16
■✈ **Sortir** : page 74
■✈ **Voir** : pages 86, 88 et 90
■✈ **Acheter** : page 128

Se restaurer

Ciudad (1)
445 S. Figueroa Street, Los Angeles, CA 90071 ☎ 213/486-5171

(Fifth St.) 🅿 🏙 **Cuisine d'Amérique centrale** ●●● 🍴 ▤ 🕐 *lun.-ven. 11h30-15h30, 17h00-22h00 ; sam.-dim. 18h30-23h30* 🆒 🍸 *Border Grill* ➡ *58*

Mary Sue Milliken et Susan Feniger, les *Too Hot Tamales* de la télévision, initient leur clientèle à des plats moins connus des gastronomies d'Amérique centrale et du Sud. Les cocktails et desserts sont étourdissants, et la carte des vins propose de très nombreux crus espagnols et chiliens. La salle à manger spacieuse, aux audacieuses lignes géométriques, est mi-rétro mi-contemporaine, avec un zeste d'esprit ludique très californien.

Cafe Pinot (2)
700 W. Fifth Street, Los Angeles, CA 90071 ☎ 213/239-6500

(Flower St.) 🅿 🏙 **Cuisine franco-californienne** ●●●● 🍴 ▤ 🕐 *lun.-jeu. 11h30-14h30, 17h00-21h30 ; ven. 11h30-14h30, 17h00-22h30 ; sam. 17h00-22h30 ; dim. 17h00-21h00* 🍸 🔼 *en terrasse* 🆒

Ce restaurant est réputé pour son décor spectaculaire, ses immenses baies vitrées, son charmant patio, voisin de l'historique Central Library, et son interprétation très californienne de la cuisine française de bistrot. Situé à deux pas de Bunker Hill, il est pris d'assaut, à l'heure du déjeuner, par une clientèle d'hommes d'affaires, de juristes et d'agents de change. Le soir, on y va surtout pour dîner avant le spectacle. Une navette gratuite est mise à disposition pour vous amener au L.A. Music Center.

Water Grill (3)
544 S. Grand Avenue, Los Angeles, CA 90071 ☎ 213/891-0900

(5th et 6th Sts) 🅿 🏙 **Cuisine de la mer** ●●●● 🍴 ▤ 🕐 *lun.-mar. 11h30-16h00, 17h00-21h00 ; mer.-ven. 11h30-16h00, 17h00-22h00 ; sam. 17h00-22h00 ; dim. 16h30-21h00 ; fermé Noël* 🍸

Élégance, tradition, ambiance club : ces trois mots résument l'atmosphère du Water Grill, le meilleur restaurant de fruits de mer de L.A. C'est le lieu idéal pour prendre un copieux déjeuner dans une ambiance détendue, ou pour avaler un morceau au bar avant le spectacle. Le bar à fruits de mer propose un menu hors pair, et les plats cuisinés, superbes, changent tous les jours. Ajoutez au service attentif l'excellente carte des vins et les meilleurs desserts de la ville, qui ont valu au Water Grill une avalanche de superlatifs.

Original Pantry Cafe (4)
877 S. Figueroa Street, Los Angeles, CA 90017 ☎ 213/972-9279

(9th St.) 🅿 **Cuisine américaine** ● 🍴 🕐 *tlj. 0h00-24h00*

Le premier titre de gloire de ce vénérable rade est son propriétaire, Richard Riordan, maire de Los Angeles. Depuis 1924, ce Café propose 7 jours sur 7 et 24h/24 une cuisine familiale généreuse, roborative et bon marché. Célèbre pour ses breakfasts enrichis de multiples extra.

Sans oublier
■ **City Pier Seafood (5)** 333 S. Spring Street, Los Angeles, CA 90013 ☎ 213/617-2489 ● *Ce nouveau petit lunchtime du Wells Fargo Center propose des fruits de mer de qualité, préparés avec simplicité, pour des prix très corrects.*

Dans la journée, les restaurants de Downtown sont le repaire des cols blancs, hommes d'affaires, juristes ou hommes politiques. Le soir, ces bastions de la bonne chère accueillent surtout des touristes et des gens du cru venus se restaurer avant un match ou un spectacle.

Près de là
- **Dormir** : page 16
- **Sortir** : page 74
- **Voir** : pages 86, 88 et 90
- **Acheter** : page 128

Se restaurer

Empress Pavilion (6)
988 N. Hill Street, Los Angeles, CA 90012 ☎ 213/617-9898

(Bambou Plaza, Bernard St.) 🅿 📶 *Cuisine chinoise* ●● ▭ ◷ *lun.-ven. 9h00-22h00 ; sam.-dim. 8h00-22h00* 🍷

Le temple du *dim sum* de L.A. est ce restaurant de fruits de mer dont les vastes salles peuvent accueillir quelque 600 convives. Les serveurs, n'ayant de cesse de pousser des chariots chargés de boulettes fumantes et grésillantes ou de s'affairer auprès des tables, assurent un service rapide et efficace. La carte propose plus de 175 plats ! Vous pouvez juste montrer du doigt ce que vous désirez ou bien commander l'une des spécialités : gambas sautées avec des noix glacées au miel, porc barbecue et sa sauce aigre-douce, ou melon d'hiver farci aux œufs, au porc et aux lamelles de coquilles Saint-Jacques séchées.

Mandarin Deli (7)
727 N. Broadway, Los Angeles, CA 90012 ☎ 213/623-6054

(entre Alpine et Ord Sts) 🅿 *Cuisine chinoise* ● ▭ ◷ *tlj. 11h00-20h00 ; fermé dernier jeudi du mois* 🕙 *356 E. Second St., Little Tokyo, Los Angeles* ☎ *213/617-0231*

Ce marchand de nouilles et de boulettes manque de charme, mais ses prix défient toute concurrence. Essayez ses délicieuses boulettes frites à la poêle, ses crêpes aux échalotes, son vaste choix de savoureuses nouilles épaisses et débitées à la main, servies en soupes chaudes ou salades froides.

Ocean Seafood (8)
750 N. Hill, Los Angeles, CA 90012 ☎ 213/687-3088

(entre Alpine et Ord Sts) 📶 *Cuisine chinoise* ●● ▭ ▭ ◷ *tlj. 8h00-20h00* 🍷

Ce palais des fruits de mer à la cantonaise, vaste établissement de style Hong Kong au cœur de Chinatown, propose des *dim sum* 7 jours sur 7 mais il faut s'y rendre le week-end pour profiter de sa trépidante ambiance. Les tables roulantes se succèdent à un train d'enfer, chargées, entre autres spécialités, de boulettes à la vapeur, bouillies, frites ou cuites au four.

Philippe the Original (9)
1001 N. Alameda Street, Los Angeles, CA 90012 ☎ 213/628-3781

(Ord St.) 🅿 *Cuisine américaine* ● ◷ *tlj. 6h00-22h00*

Depuis 1908, des hordes d'affamés font la queue dans ce haut lieu de la gastronomie résolument décalé dans le temps, aux longues tables conviviales, au sol recouvert de sciure. À la carte : du bœuf, du porc et le fameux *French dip sandwich* d'agneau (inventé ici, selon la petite histoire). Philippe the Original, un morceau du vieux L.A. à la frontière de Chinatown, est le rendez-vous des hommes politiques, des juristes et des hommes d'affaires à l'heure du déjeuner et une halte tout indiquée avant d'aller au Chavez Ravine voir un match des Dodgers, la célèbre équipe de base-ball.

Sans oublier
■ **Yang Chow (10)** 819 N. Broadway, Los Angeles, CA 90012 ☎ 213/625-0811
●● *Selon ses aficionados, ce serait le meilleur restaurant de Chinatown… voire de L.A. ! Les slippery shrimps (crevettes croustillantes), l'agneau aux échalotes et le poulet kung pao sont autant de bonnes surprises. Succursale à Pasadena.*

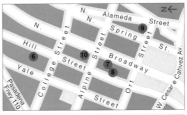

La majorité des Asiatiques de Los Angeles se sont repliés dans la San Gabriel Valley ➡ 86 et dans l'Orange County, mais on trouve encore d'excellents restaurants et boutiques de produits exotiques dans le vieux Chinatown, au nord du Downtown de Los Angeles.

Près de là
- ➨ **Dormir** : page 18
- ➨ **Sortir** : page 78
- ➨ **Voir** : page 92
- ➨ **Acheter** : page 130

Se restaurer

Yujean Kang's (11)
67 N. Raymond Avenue, Pasadena, CA 91103 ☎ 626/585-0855

(entre Union et Holly Sts) 🍴 *Cuisine chinoise* ●●●● 🔲 🕐 *dim.-ven. 11h30-14h30, 17h00-21h30 ; sam. 11h30-14h30, 17h00-22h30*

Yujean Kang, chef et propriétaire des lieux, ajoute une touche toute personnelle à sa cuisine hautement sophistiquée. La cave, composée de bouteilles rares et de crus de Californie, de France et d'Allemagne amoureusement sélectionnés, reflète la passion de Yujean pour le vin. L'excellent service se déroule dans un décor simple et élégant, animé par de subtils motifs d'inspiration chinoise et par des murs d'un rouge sourd.

All India Café (12)

39 S. Fair Oaks, Pasadena, CA 91105 ☎ 626/440-0309

(Colorado Blvd) 🅿 🍴 *Cuisine indienne* ● 🔲 🕐 *dim.-jeu. 11h30-22h00 ; ven.-sam. 11h30-23h00* 👥 *12113 Santa Monica Blvd, West Los Angeles ☎ 310/442-5250*

Ouvert par l'ancien chef du Bombay Cafe ➨ 54, cette nouvelle édition version Eastside angelinos propose un menu similaire à moindre prix, avec une large sélection de tandooris, de curries, d'amuse-gueule indiens.

Bistro 45 (13)
45 S. Mentor Avenue, Pasadena, CA 91106 ☎ 626/795-2478

(entre Colorado Blvd et Green St.) 🍴 *Cuisine franco-californienne* ●●●● 🔲 🍴 🔲 🕐 *mar.-ven. 11h30-14h30, 18h00-21h00 ; sam.-dim. 18h00-21h00 ; fermé Thanksgiving, Noël* 🍷 ⭐

Grâce au propriétaire, Robert Simon, on se sent comme chez soi dans cet écrin Art déco élégamment restauré, situé dans une rue tranquille loin du bruit et de l'agitation de la vieille ville. La cuisine ne peut que séduire et la très longue carte des vins est étourdissante.

Parkway Grill (14)
510 S. Arroyo Parkway, Pasadena, CA 91105 ☎ 626/795-1001

(entre California et Del Mar Blvds) 🍴 *Cuisine californienne* ●●●● 🍴 🔲 🕐 *lun.-ven. 11h30-14h30, 17h30-22h00 ; sam.-dim. 17h00-22h00* 🍷

Ce restaurant fut le premier à initier la clientèle plutôt conservatrice de Pasadena à la cuisine sans chichis du Westside de L.A. on dîne dans une longue salle aux proportions massives, dont les vastes lucarnes, la profusion de plantes vertes et un superbe bar en acajou réchauffent l'atmosphère. Commencez par une salade dont les ingrédients proviennent du potager du restaurant, continuez par la spécialité maison, la soupe de haricots noirs, puis par une viande grillée et concluez par un dessert maison à l'ancienne. La carte des vins est spécialisée dans les crus du nord de la Californie.

Sans oublier

■ **Mi Piace (15)** 25 E. Colorado Blvd, Pasadena, CA 91105 ☎ 626/975-3131 ●● *Une atmosphère de fête règne dans cette trattoria sans façon. Ses prix abordables et ses portions généreuses en font l'un des établissements les plus populaires de la vieille ville.* ■ **Buca di Beppo (16)** 80 W. Green St., Pasadena, CA 91105 ☎ 626/792-7272 ●● *Excentrique, provocant, amusant, offrant un rapport qualité-prix exceptionnel, le personnel sert avec générosité - et sourire - une cuisine italienne familiale dans un environnement paillard, kitsch et plein d'esprit, millésimé années 50.*

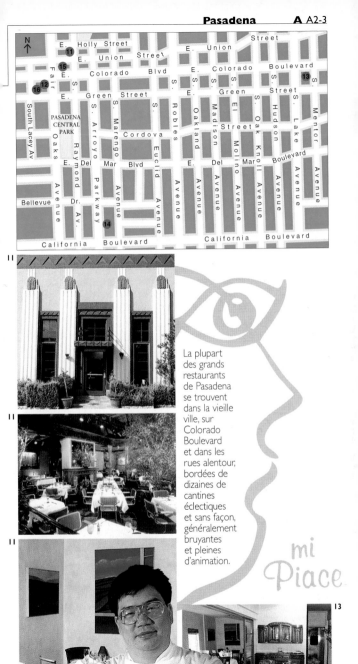

La plupart des grands restaurants de Pasadena se trouvent dans la vieille ville, sur Colorado Boulevard et dans les rues alentour, bordées de dizaines de cantines éclectiques et sans façon, généralement bruyantes et pleines d'animation.

mi Piace

Se restaurer

Dar Maghreb (17)

7651 Sunset Boulevard, Hollywood, CA 90046 ☎ 323/876-7651

(Stanley Ave) 🔆 *Cuisine marocaine* ●●● 🍴 🎴 ▭ 🕐 *lun.-ven. 18h00-23h00 ; sam. 17h30-23h00 ; dim. 17h30-22h30* 🅿 *en terrasse* ✴

Considéré comme le meilleur restaurant marocain de la ville, Dar Maghreb ravit depuis soixante ans les visiteurs et les Angelinos avec son menu traditionnel de sept plats et son décor des Mille et Une Nuits. Assis sur de petits bancs, on déguste les mets avec les doigts tout en regardant évoluer les danseuses du ventre qui contribuent au plaisir de ce festin.

Pink's Famous Chili Dogs (18)

709 N. La Brea Avenue, Los Angeles, CA 90038 ☎ 323/931-7594

(Melrose Ave) 🅿 *Cuisine américaine* ● 🕐 *tlj. 9h30-2h00*

Un séjour à L.A. serait incomplet si vous ne goûtiez au célèbre *chili dog* de chez Pink's, un marchand de hot dogs passé au rang d'institution et qui appartient à la même famille depuis sa fondation, voici soixante ans. La clientèle est un résumé de la population locale : tout le monde va chez Pink's, des ouvriers aux célébrités en passant par les noctambules.

Citrus (19)

6703 Melrose Avenue, Los Angeles, CA 90038 ☎ 323/857-0034

(Citrus Ave) 🔆 *Cuisine franco–californienne* ●●●●● ▭ 🕐 *lun.-ven. 12h00-14h00, 18h30-21h00 ; sam.-dim. 18h00-21h00 ; fermé Noël, nouvel an, Pâques* 🅈

Michel Richard, chef fondateur et grand sorcier de la pâtisserie, fut un des pionniers de la fin des années 80 que des dizaines d'émules ont cherché en vain à imiter. Les cuisines du Citrus à la façade de verre passent toujours pour un chef-d'œuvre et transforment le moindre dîner en expérience théâtrale. La qualité des desserts témoigne du génie du maître des lieux.

Patina (20)

5955 Melrose Avenue, Los Angeles, CA 90038 ☎ 323/467-1108

(Cole Ave) 🔆 *Cuisine franco–californienne* ●●●●● 🎴 🍴 ▭ 🕐 *dim.-jeu. 18h00-21h30 ; ven. 12h00-14h00, 18h00-21h30 ; sam. 17h30-22h30* 🅈 🅿 *en terrasse* ✴

Ce temple de la gastronomie est une création du couple de Joachim Splichal, cofondateur avec son épouse Christine d'un empire parmi lequel figure le Cafe Pinot ➜ 38. Les superlatifs abondent lorsqu'on évoque la cuisine remarquable, la présentation faite avec art, la carte des vins irréprochable et le service très professionnel de ce restaurant sobre et élégant où les Angelinos aiment à fêter les grandes occasions. Un conseil : commandez le menu dégustation, accompagné de vins sélectionnés pour chaque plat.

Sans oublier

■ **Musso & Frank Grill (21)** 6667 Hollywood Boulevard, Hollywood, CA 90028 ☎ 323/467-7788 ●●● *Prenez un Martini au bar, un breakfast complet à n'importe quelle heure de la journée ou régalez-vous de côtelettes et de riches steaks bien grillés dans cette vénérable institution ouverte en 1919 où règne une ambiance club.* ■ **Miceli's (22)** 1646 N. Las Palmas St., Hollywood, CA 90028 ☎ 323/466-3438 ● *Proche de l'Egyptian Theater ➜ 98, l'endroit idéal après le cinéma pour déguster une large pizza débordante de fromage ou un plat de pâtes.*

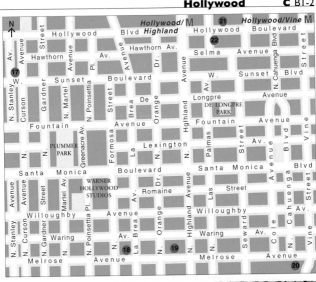

Les grandes artères d'Hollywood les plus fréquentées par les touristes sont miteuses et délabrées malgré une volonté de renouveau, et les bons restaurants y sont rares. Cependant, de vieilles maisons font toujours figure d'institutions.

Un été presque perpétuel, une végétation luxuriante, un littoral de sable à perte de vue et des vallons frais et discrets caractérisent le climat qui règne à Los Angeles. Les restaurants ont su tirer le meilleur parti de tous ces atouts : terrasses avec vue, patios ombragés et jardins fleuris y sont de règle, alliant ainsi le plaisir des yeux à celui du palais.

Se restaurer

The Restaurant (23)
Bel-Air Hotel, 701 Stone Canyon Rd, Bel-Air, CA 90077 ☎ 310/472-1211

🔲 *Cuisine franco-californienne* ●●●●● 🔲 🔳 🔲 🕐 *tlj.* 11h00-14h00, 18h00-22h00 / *sunday brunch* 10h00-14h00 🔲 *en terrasse* 🔲 🔳

La salle à manger, le jardin et les moindres recoins de cet hôtel ➡ 26 sont célèbres pour leur beauté et leur élégance quasiment féeriques. Un dîner dans ce cadre verdoyant constitue l'un des aspects incontournables d'une visite à Los Angeles. Sous la direction du chef Thomas Hanson, la cuisine exemplaire s'avère parfois spectaculaire et le service est plus qu'irréprochable. Réservez à l'avance et demandez une table dans le patio.

Gladstone's 4 Fish (24)
17300 PCH, Pacific Palisades, CA 90272 ☎ 310/573-0212

(Sunset Blvd) 🔲 🔲 *Cuisine de la mer* ●●● 🔲 🔲 🕐 *lun.-jeu.* 11h00-23h00 ; *ven.* 11h00-0h00 ; *sam.* 7h00-0h00 ; *dim.* 7h00-23h00 🔲 *en terrasse* 🔲 🔳 🔲

Il faut regarder le soleil se coucher sur la tentaculaire côte californienne depuis cet imposant restaurant de poissons, l'un des hauts lieux de L.A. Préparez-vous à trouver une salle bondée, surtout s'il fait beau, et armez-vous de patience en prévision de l'attente. La vue étant ce qu'elle est, on a tendance à oublier ce qu'on a dans son assiette. On peut aussi se contenter d'y prendre simplement un verre ou un *Sunday brunch*.

Michael's (25)
1147 Third Street, Santa Monica, CA 90403 ☎ 310/451-0843

(entre Wilshire et California Blvds) 🔲 🔲 *Cuisine américaine* ●●●●● 🔲 🔳 🔲 🕐 *lun.-sam.* 11h30-14h30, 18h00-22h30 🔲 *en terrasse* 🔲 🔳

Le patio, avec ses parasols et son petit jardin luxuriant, est le coin le plus agréable de ce restaurant californien élégant et ultra-chic. Michael MacCarty, l'un des pionniers de la cuisine californienne, a ouvert cet établissement il y a une vingtaine d'années. Sous la houlette du chef d'origine coréenne Sang Yoon, la cuisine y est meilleure que jamais, et le sommelier David Rosoff s'occupe du vin avec une science et un art consommés.

The Lobster (26)
1602 Ocean Avenue, Santa Monica, CA 90401 ☎ 310/458-9294

(Colorado Blvd) 🔲 *Cuisine de la mer et américaine* ●●●● 🔲 🔲 🕐 *dim.-jeu.* 11h30-15h00, 17h00-22h00 ; *ven.-sam.* 11h30-23h00 🔲 🔲 🔳 🔲

Situé à l'entrée du pier de Santa Monica ➡ 108, The Lobster a rouvert ses portes sous une forme très contemporaine, au décor sophistiqué. Son menu de fruits de mer a été enrichi et remis au goût du jour et il tire le meilleur parti de sa situation : les dîneurs bénéficient d'une vue panoramique sur la côte. Goûtez le cocktail de homard, les moules vapeur, les crevettes épicées, le gâteau au crabe et, en dessert, le *Banana Betty*.

Sans oublier

🔲 **Le Petit Four (27)** Sunset Plaza, 8654 Sunset Boulevard, West Hollywood, CA 90069 ☎ 310/652-3863 ●● *Situé sur le célèbre Strip, ce café animé avec terrasse est le rendez-vous des Européens de L.A. et de quelques célébrités. Le menu de style bistrot est de premier ordre, tout comme les pâtisseries.*

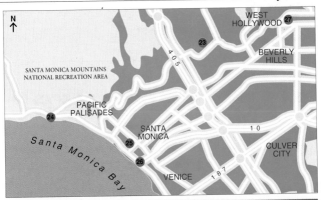

Près de là

 Dormir : pages 22 et 24
Sortir : pages 68, 72, 74, 76, 78 et 82
Voir : pages 86, 100 et 102
Acheter : pages 126, 138 et 140

Se restaurer

Jozu (28)
8360 Melrose Avenue, Los Angeles, CA 90069 ☎ 323/655-5600

(Sweetzer Ave) 🎌 *Cuisine Pan-Asian* ●●●● 🔲 📶 ⊟ ⏱ *lun.-jeu. 18h00-22h00 ; ven. 18h00-23h00 ; sam. 17h30-23h00 ; dim. 17h30-21h30*

À Hollywood, les stars naissent d'un jour à l'autre, à l'instar du Jozu, un restaurant d'une élégance discrète ouvert par Andy Nakano, qui l'a très vite hissé au firmament. La cuisine inventive, savamment concoctée, s'inpire des régions du Pacifique : coquilles Saint-Jacques sautées et leur sauce au curry vert, moules au lait de coco et au safran accompagnées de cheveux d'ange, ris de veau croquants au tamarin. Vins exceptionnels produits par de petits vignobles. Touche personnelle : le saké est offert par la maison.

Lucques (29)
8474 Melrose Avenue, Los Angeles, CA 90069 323/655-6277

(La Cienaga Blvd) 🎌 *Cuisine méditerranéo-californienne* ●●●● 🔲 ⊟
⏱ *mar.-sam; 12h00-14h30, 18h00-23h00 ; dim. 12h00-14h30, 18h00-22h00* ✴

Vous entrez ici dans le domaine de la talentueuse chef Suzanne Goin. Le menu, court mais séduisant, est basé sur des produits du marché et change toutes les six à huit semaines. Tout est délicieux, mais le lapin à la sicilienne sur son lit d'orge avec des endives, des groseilles et des pignons est un véritable régal, tout comme la polenta au mascarpone accompagnée de chanterelles, de frisée, de tomates bio et de *burrata*. La salle chaleureuse associant briques et bois, flanquée à l'arrière par un patio, draine une clientèle branchée et sophistiquée. Dîner servi au bar jusqu'à 0h00.

Matsuhisa (30)
129 N. La Cienaga Boulevard, Beverly Hills, CA 90211 ☎ 310/659-9639

(Wilshire Blvd) 🅿 *Cuisine japonaise* ●●●●● ⏱ *lun.-ven. 11h45-14h15, 17h45-22h15 ; sam.-dim. 17h45-22h15* 🍴 *Ubon 8630 Beverly Blvd* ☎ *310/854-1115* ●●

Le créateur et chef de cette Mecque de la gastronomie, Nobu Matsuhisa, a ouvert de nouveaux horizons à la cuisine japonaise en combinant le patrimoine culinaire nippon avec son expérience sud-américaine. Les sushi sont impeccables. Mais Matsuhisa est surtout réputé pour ses plats cuisinés : pâtes aux calmars et aux asperges avec un beurre d'ail, cabillaud noir à la sauce miso ou champignons *shiitake* farcis d'œufs d'oursin.

Sans oublier

■ **Zen Grill (31)** 8432 W. Third St., Los Angeles, CA 90048 ☎ 323/ 655-9991 ●● *Ce café bruyant sert avec générosité des plats venus de diverses parties de l'Asie, rehaussés d'une petite touche californienne. Le service est désinvolte, pas toujours efficace, mais l'endroit est branché et amusant.* ■ **L'Orangerie (32)** 903 N. La Cienaga Blvd, West Hollywood, CA 90069 ☎ 310/652-9770 ●●●●● *Un restaurant charmant et délicieusement romantique, une cuisine classique mais créative que réveillent subtilement les herbes et les épices exotiques.* ■ **Locanda Veneta (33)** 8638 W. Third St., Los Angeles, CA 90048 ☎ 310/274-1893 ●●● *Le chef et propriétaire Antonio Tomasso sert ses délicieuses spécialités vénitiennes dans un cadre rustique et confortable.* ■ **Lawry's Prime Rib (34)** 100 N. La Cienaga Blvd, Beverly Hills, CA 90211 ☎ 310/652-2827 ●●●● *Ce grand classique a conservé ses boxes vastes et confortables et son service à l'anglaise. Il sert le même menu depuis son ouverture, en 1938 : de grosses tranches de côtes premières découpées sous vos yeux, du Yorkshire pudding et des légumes à la crème.*

Beverly Center, un gigantesque centre commercial, abrite de nombreux restaurants haut de gamme, mais aussi les incontournables fast-foods. Third Street, qui le borde au sud, compte un ensemble éclectique de petits cafés et restaurants tandis que, dans le légendaire *Restaurant Row* de La Cienaga, les établissements sont généralement plus vastes et plus classiques.

29

34

28

30

➡ Se restaurer

Maple Drive (35)
345 N. Maple Drive, Beverly Hills, CA 90210 ☎ 310/274-9800

(Alden Dr.) 🍴 **Cuisine américaine** ●●●● 🖪 ▤ 🕐 *lun.-ven. 11h30-14h45, 18h00-22h00 ; sam. 18h00-22h00* 🍷 ✹

Sobre et élégant, ce restaurant spécialisé dans la nouvelle cuisine américaine se cache dans un immeuble de bureaux à la lisière de Beverly Hills, mais il mérite qu'on se donne la peine de le chercher. Au déjeuner, il accueille le monde du spectacle venu parler showbiz. Le soir, la clientèle vient aussi pour apprécier l'excellent jazz maison et le bar bruissant d'animation. Le pain de viande, le chili et les entrées de poisson frais sont à se pâmer.

Nate 'n' Al's (36)
414 N. Beverly Drive, Beverly Hills, CA 90210 ☎ 310/274-0101

(Rodeo Dr.) 🅿 **Delicatessen** ● ▤ 🕐 *tlj. 7h00-21h00 ; fermé vac. juives*

Cette entreprise familiale, l'un des meilleurs deli juifs du Westside, est devenue une institution. Les visiteurs en quête de stars y trouvent souvent leur bonheur, car jeunes et vieilles gloires d'Hollywood raffolent de ses énormes sandwiches au *corned beef*, ses *blintzes* et sa soupe de poulet aux boulettes de *matzo*. Les serveuses particulièrement grincheuses ont l'air d'avoir fait leurs premières armes ici le jour de l'ouverture.

Crustacean (37)
9646 Little Santa Monica Boulevard, Beverly Hills, CA 90210 ☎ 310/205-8990

(N. Bedford Dr.) 🅿 🍴 **Cuisine vietnamienne** ●●●● 🖪 🍴 🕐 *lun.-jeu. 11h30-14h30, 17h30-22h00 ; ven. 11h30-14h30, 17h00-23h00 ; sam. 17h30-23h00* 🍷 ✹

Depuis trois générations, la famille An perpétue la grandeur de l'Indochine coloniale dans son somptueux restaurant, rendez-vous des célébrités. La chef Helene An utilise magistralement herbes et épices pour souligner la saveur de son crabe Dungeness rôti et de ses bouquets grillés avec des nouilles à l'ail, préparés dans sa légendaire "cuisine secrète". Le bar permet de tester les tapas asiatiques et de s'immerger dans l'atmosphère animée.

Spago Beverly Hills (38)
176 N. Canyon Drive, Beverly Hills, CA 90210 ☎ 310/385-0880

(Wilshire Blvd) 🍴 **Cuisine californienne** ●●●●● 🖪 ▤ 🕐 *lun.-ven. 11h30-14h15, 17h30-23h00 ; sam. 12h00-14h15, 17h30-23h00 ; dim. 17h00-22h30* 🍷 *en terrasse* ✹ 🍴 *1114 Horn Ave, West Hollywood* ☎ *310/652-3706* ●●●

Obtenir une table au Spago Beverly Hills relève de l'exploit, mais cela n'arrête personne. On y consomme une cuisine typiquement californienne, des desserts et des vins hors pair dans une atmosphère follement sophistiquée. Le chef et propriétaire, Wolfgang Puck, célèbre à travers tous les États-Unis, crée l'ambiance en bavardant avec les convives.

Sans oublier

■ **Nouveau Cafe Blanc (39)** 9777 Little Santa Monica Blvd, Beverly Hills, CA 90210 ☎ 310/888-0108 ●●● *Tommy Harase, chef et propriétaire de ce minuscule restaurant, concocte amoureusement une excellente cuisine franco-japonaise. Les deux menus du soir à prix fixe et la courte carte changent à chaque saison, et au déjeuner, le même menu est disponible à prix doux. Réservez !*

37

39

38

36

Tout le monde, un jour ou l'autre, fait halte dans le quartier des stars, qu'il s'adonne au lèche-vitrine dans Rodeo Drive, s'efforce d'apercevoir son acteur favori ou dîne dans une des cantines à la mode du Triangle d'Or. Des restaurants plus abordables se trouvent sur Beverly Drive, au sud de Wilshire Boulevard.

37

Près de là

- **Dormir :** page 20
- **Sortir :** page 70
- **Voir :** pages 86, 96 et 100
- **Acheter :** pages 126, 138 et 140

Se restaurer

Mimosa (40)

8009 Beverly Boulevard, Los Angeles, CA 90048 ☎ 323/655-8895

(N. Edinburgh Ave) **Cuisine française** ●●●● 🔲 🕐 *tlj. 11h30-14h30, 17h30-22h30* 🍷

Avec ses murs d'un jaune solaire et son atmosphère douillette, ce ravissant petit bistrot cultive un accent résolument provençal. L'authentique cuisine bistrot est exécutée avec maestria et le menu comprend des plats rarement pratiqués par ce genre de maison, comme l'aligot et le *hanger steak* (onglet). La présence magnétique du chef, Silvio De Mori, imprègne les lieux.

Authentic Café (41)

7605 Beverly Boulevard, Los Angeles, CA 90036 ☎ 323/939-4626

(N. Curson Ave) **Cuisine éclectique** ●● 🔲 🕐 *lun.-jeu 11h30-22h00 ; ven. 11h30-23h00 ; sam. 9h30-23h00 ; dim. 9h30-22h00* 🅿 *en terrasse* ❎

Ce restaurant très couru est sans façon, décalé et bon marché. Le menu, un pot-pourri de saveurs cosmopolites, va du *nacho* mexicain à la pizza californienne en passant par les boulettes chinoises. Le petit déjeuner, servi toute la journée, comprend des spécialités mexicaines ainsi que les grands classiques américains : œufs, *pancakes* et toasts. Les portions sont énormes mais attendez-vous à faire la queue, car on ne peut réserver.

Gumbo Pot (42)

Farmer's Market, 6333 W. Third Street, Los Angeles, CA 90036 ☎ 323/933-0358

(Fairfax Ave) 🅿 **Cuisine du sud des États-Unis** ● 🔲 🕐 *lun.-sam. 10h30-18h30 ; dim. 10h30-17h00* 🅿

Ce modeste restaurant de plats à emporter sert peut-être la meilleure cuisine cajun et créole de Los Angeles. Vous pourrez déguster, attablé dans le patio, ses véritables sandwiches *muffuleta* (spécialité de La Nouvelle-Orléans), sa soupe au gombo, son *jambalaya* ou son poisson-chat grillé.

Campanile (43)

624 S. La Brea Avenue, Los Angeles, CA 90036 ☎ 323/938-1447

(entre 6th St. et Wilshire Blvd) **Cuisine Cal-méditerranéenne** ●●●●● 🔲 🕐 *lun.-jeu. 11h30-14h30, 18h00-20h00 ; ven. 11h30-14h30, 17h30-23h00 ; sam. 9h30-13h30, 17h30-23h00 ; dim. 9h30-13h30* 🍷 ❎ 🈁 *La Brea Bakery*

Le Campanile niche dans un palais à l'italienne, amoureusement restauré, qui appartint jadis à Charlie Chaplin. Ses créateurs sont les talentueux Mark Peel et sa femme Nancy Silverton, l'une des meilleures boulangères des États-Unis, coupable aussi des divins desserts. Leur cuisine, rustique mais sophistiquée, s'accompagne d'une excellente carte des vins.

Sans oublier

■ **KoKoMo Café (44)** Farmer's Market, 6333 W. Third Street, Los Angeles, CA 90036 ☎ 323/933-0773 ● *Le rendez-vous du monde du spectacle pour le petit déjeuner et le déjeuner en plein air. Réputé pour ses magnifiques pancakes aux fraises, son classique hachis de dinde et ses frites aux patates douces au goût de revenez-y.* ■ **Sofi (45)** 8030 3/4 W. Third Street, Los Angeles, CA 90048 ☎ 323/651-0346 ●● *Ce trésor niché dans une ruelle sert l'une des meilleures cuisines grecques à l'ouest de Mykonos. Demandez une table dans le charmant patio.*

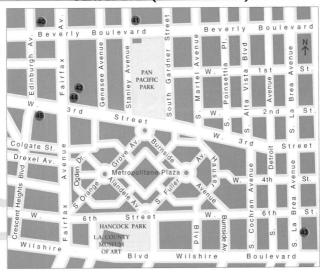

Les bons restaurants succèdent aux boutiques et aux galeries dans les rues perpendiculaires à Beverly Boulevard et à Fairfax et La Brea Avenues. Le vénérable Farmer's Market, avec ses étals colorés et chargés de victuailles, attire autant les gourmets anonymes que les célébrités gourmandes.

Près de là

➧ **Dormir** : page 26
➧ **Sortir** : page 74
➧ **Voir** : pages 86 et 104
➧ **Acheter** : pages 126 et 142

Se restaurer

La Cachette (46)

**10506 Little Santa Monica Boulevard, West Los Angeles,
CA 90025 ☎ 310/470-4992**

(entre Beverly Glen Blvd et Overland Ave) 🅿 *Cuisine française* ●●●● 📶 ▣
🕐 *lun.-ven. 11h30-14h30, 18h00-22h30 ; sam. 17h30-23h00 ; dim. 17h30-21h30*

Situé à l'écart des sentiers battus, La Cachette porte bien son nom. Son charismatique chef et propriétaire, Jean-François Méteigner, vous concoctera d'irrésistibles plats à base de foie gras, une délicieuse bisque de homard ou un succulent crabe Dungeness. Mais réservez-vous pour la tarte tatin !

Woodside (47)

11604 San Vincente Boulevard, Brentwood, CA 90049 ☎ 310/571-3800

(Federal Ave) 🅿 *Cuisine américaine* ●●●● ▣ 🕐 *lun.-jeu. 11h30-14h00, 17h30-22h00 ; ven. 11h30-14h00, 17h30h-23h00 ; sam. 17h30-23h00 ; dim. 17h00-22h00*

Avec ses murs de brique et sa cuisine rutilante ouverte sur la salle, ce restaurant très couru du Westside rappelle les cafés new-yorkais. Le chef, Dean Max, prépare ses menus avec amour, sachant exploiter la manne des produits de saison californiens pour créer des plats inventifs et bien présentés. N'hésitez pas à goûter la côtelette de porc grillée et fourrée, les calmars frits, la grandiose côtelette de veau et les desserts maison.

Il Moro (48)

11400 W. Olympic Blvd, West Los Angeles, CA 90025 ☎ 310/575-3530

(Purdue Ave) 🅿 🪑 *Cuisine italienne* ●●● 🎴 📶 ▣ 🕐 *lun.-jeu. 11h30-22h00 ; ven. 11h30-22h30 ; sam. 17h30-22h30 ; dim. 16h30-21h30* 🔋 *en terrasse* ✳ 🎴

L'atmosphère chaleureuse et accueillante, le jardin-patio, les détails soignés et le service attentif valent à ce charmant *ristorante* d'être constamment bondé. Il pratique une cuisine originale inspirée de l'Italie du Nord, dont les plats vedettes sont les *fettucine* servis avec une sauce de faisan sauvage et les calmars farcis d'une mousse aux fruits de mer. Le bonus : des vins italiens et californiens dont les prix vont du bon marché au raisonnable.

Bombay Cafe (49)

12021 W. Pico Blvd, West Los Angeles, CA 90064 ☎ 310/473-3388

(Bundy Ave) 🅿 🪑 *Cuisine indienne* ●● ▣ 🕐 *mar.-jeu. 11h30-15h00, 17h00-22h00 ; ven. 11h30-15h00, 17h00-23h00 ; sam. 17h00-23h00 ; dim. 17h00-22h00*

La chef Neela Paniz propose, outre les différents plats du jour, de nombreux curries, tandooris et *frankies* (galettes fourrées de poulet, d'agneau ou de chou-fleur), accompagnés de divers et délicieux *chutneys*. Si l'humeur vous en dit, installez-vous au bar et commandez des *chats* (tapas indiens) avec une bière ou un cocktail. Au déjeuner, préférez un *thali* qui vous permettra de tester les meilleures spécialités à des prix moins élevés que le soir.

Sans oublier

■ **Taiko (50)** Brentwood Gardens, 11677 San Vincente Blvd, Los Angeles, CA 90049 ☎ 310/207-7782 ●● *Surprise architecturale et oasis de sérénité. Idéal pour déguster sur le pouce des udon ou soba, ou commander des sushi, des sashimi ou l'une des spécialités du jour.* ■ **Apple Pan (51)** 10801 W. Pico Blvd, West Los Angeles, CA 90064 ☎ 310/475-3585 ● *Cette modeste boutique, ouverte en 1947, sert des burgers de rêve ainsi que des sandwiches et des tourtes incomparables.*

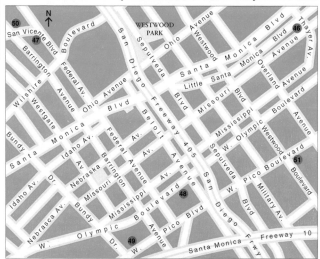

L'UCLA, le Getty Center
➡ 100, le *mall* de Century
City ➡ 126 ainsi que leurs
sympathiques cantines en
plein air sont situés dans
l'élégant quartier du
Westside de Los Angeles.

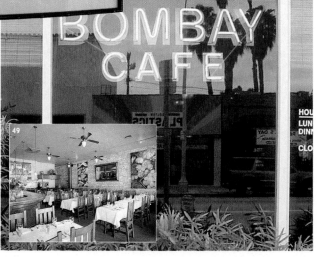

À Los Angeles, on peut se restaurer décemment un peu partout. Toutefois certaines chaînes de restauration réservent d'excellentes surprises et proposent des menus divers et variés d'une qualité constante. Leur cadre peut varier du look rétro années 50 au décor en bois contemporain, en passant par un design ultra-dépouillé.

Se restaurer

Cheesecake Factory (52)

Pasadena
2 W. Colorado Blvd
☎ 626/584-6000
Beverly Hills
364 N. Beverly Dr.
☎ 310/278-7270
Los Angeles
11647 San Vincente Blvd
☎ 310/826-7111
Marina del Rey
4142 Via Marina,
☎ 310/306-3344
Redondo Beach
605 N. Harbor Dr.
☎ 310/376-0466
🕐 lun.-jeu. 11h00-23h00 ; ven.-sam. 11h00-0h30 ; dim. 10h00-23h00
Cuisine éclectique ●●
La petite boutique qui vendait des cheesecakes au fondant irrésistible a donné naissance à cette petite chaîne. Familiales, accueillantes, ces boutiques proposent un vaste menu, servi avec générosité, où se mêlent saveurs asiatiques, californiennes et méditerranéennes. Elles sont toujours bondées, aussi armez-vous de patience, et surtout, réservez-vous pour l'une des vingt variétés de cheesecake maison.

Daily Grill (53)

Los Angeles
Beverly Center, 100 N. La Cienaga Blvd,
☎ 310/451-1655
Brentwood
11677 San Vincente Blvd
☎ 310/442-0044
Los Angeles International Airport
Tom Bradley Terminal
☎ 310/215-5180
🕐 mar.-jeu. 11h00-15h00, 17h00-22h00 ; ven.-sam. 11h00-15h00, 17h00-23h00 ; dim.-lun. 17h00-22h00
Cuisine américaine ●●
Ce surgeon du Grill de Beverly Hills sert une cuisine raisonnable dans un décor plein de punch, de style bistrot, qui rappelle les diners d'antan. Il est célèbre pour sa Cobb Salad, pour ses côtelettes et ses steaks délicieux, pour ses savoureuses short ribs, pour sa tourte au poulet et son hachis de corned beef. Les desserts comprennent d'excellentes rééditions de grands classiques américains, comme l'apple pie, le pudding au riz et la divine tourte au tapioca.

Houston's (54)

Los Angeles
Century City Center
10250 S. Santa Monica Blvd
☎ 310/557-1285
Pasadena
320 S. Arroyo Pkwy
☎ 626/577-6001
Manhattan Beach
1550 Rosecrans Ave
☎ 310/643-7211
🕐 dim.-jeu. 11h30-22h00 ; ven.-sam. 11h30-23h30
Cuisine américaine ●●
Ces restaurants sont extrêmement accueillants avec leur intérieur de bois foncé, leurs boxes vastes et confortables et leur ambiance

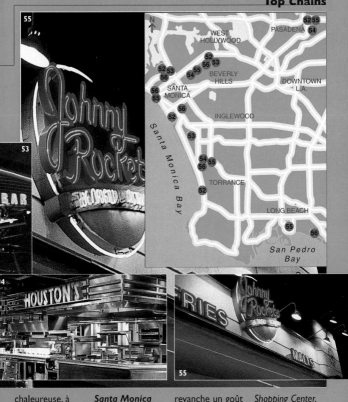

chaleureuse, à laquelle contribue la gentillesse du service. Houston's concocte une cuisine familiale, généreusement servie : burgers fumés au hickory, steaks, *prime ribs*, et de fantastiques côtes de bœuf barbecue avec une savoureuse sauce piquante. Il y a aussi un grand choix de plats de poissons et de pâtes. Sans oublier les délicieux *dips* d'artichauts et d'épinards du bar.

Johnny Rockets (55)

Los Angeles
10250 Santa Monica Blvd
☎ 310/788-9020
Pasadena
One Colorado Blvd
☎ 626/793-6570

Santa Monica
1322 Third St. Promenade
☎ 310/394-6362
Manhattan Beach
Manhattan Market Place, 1550 Rosecrans Ave
☎ 310/536-9464
Long Beach
245 Pine Street
☎ 562/983-1332
◷ dim.-jeu. 11h00-23h00 ; ven.-sam. 11h00-0h00
Cuisine américaine ●
La nostalgie qui émane de cette chaîne de style années 50 est purement fabriquée, mais ses burgers, ses frites et ses *milkshakes* ont la saveur d'une époque révolue. Les burgers aux légumes, particulièrement savoureux, ont en

revanche un goût très années 90. Généralement situés dans des zones touristiques, ces restos rétro plaisent aux jeunes, aux gourmands de tout âge et à quiconque souhaite passer un bon moment.

Baja Fresh (56)

Beverly Hills
475 N. Beverly Dr.
☎ 310/858-6690
Brentwood
11690 San Vincente Blvd
☎ 310/826-9166
Santa Monica
720 Wilshire Blvd
☎ 310/393-9313
Marina del Rey
Marina Center, 13424 Maxella Ave
☎ 310/578-2252
Manhattan Beach
Manhattan Village

Shopping Center, 3562 Sepulveda Ave
☎ 310/322-5241
Long Beach
5028 E. Second St.,
☎ 562/434-0466
◷ tlj. 11h00-21h00
Cuisine mexicaine ●
Peu attrayants d'aspect, ces *takeouts* mexicains violemment éclairés et d'une nudité quasi chirurgicale servent tout un choix de *burritos* et de tacos, à base de produits sains et frais - le lard, par exemple, est proscrit. La plupart des clients emportent leurs plats car il n'est pas toujours facile de trouver une table, surtout à l'heure d'affluence du déjeuner.

Près de là
- ▶ **Dormir :** pages 28 et 30
- ▶ **Sortir :** pages 68, 70, 74 et 80
- ▶ **Voir :** page 86
- ▶ **Acheter :** pages 126 et 144

Se restaurer

Valentino (57)
3115 Pico Boulevard, Santa Monica, CA 90405 ☎ 310/829-4313

(entre 31st et 32nd Sts) 🏠 *Cuisine italienne* ●●●●● 📇 ▯ 🕐 *lun.-jeu., sam. 17h30-22h00 ; ven. 11h30-14h30, 17h30-22h00* 🍸 ✳

Cet italien légendaire est fort d'une réputation due à ses plats exquis, à son extraordinaire carte des vins (la meilleure des États-Unis selon les experts) et à son service exemplaire. Piero Selvaggio, son génial propriétaire, a souvent ouvert la voie en important d'excellents produits de la péninsule bien avant qu'ils n'arrivent sur les tables les plus recherchées. Laissez-lui composer votre menu, il n'en sera que plus mémorable. L'addition, en revanche, risque de s'avérer salée !

Border Grill (58)
1445 Fourth Street, Santa Monica, CA 90401 ☎ 310/451-1655

(entre Broadway et Santa Monica Blvd) 🅿 🏠 *Cuisine d'Amérique centrale* ●●● 📇 ▯ 🕐 *lun. 17h00-22h00 ; mar.-jeu. 11h30-22h00 ; ven.-sam. 11h30-23h00 ; dim; 11h30-20h00* 🍸 🎫 ◆ *Ciudad* ➡ 38

Il y a toujours une soirée en train dans ce restaurant bruyant, théâtre de la célèbre émission culinaire, *Too Hot Tamales*. Le menu attrayant s'éloigne radicalement de ceux des restaurants mexicains locaux. Rien de plus sympathique que le bar ou les vastes tables communes où vous pourrez savourer un margarita meurtrier avec des tamales au maïs vert, ou des *penuchos*, tortillas fourrées de haricots noirs, poulet, pickles et avocat.

Il Fornario (59)
1551 Ocean Avenue, Santa Monica, CA 90401 ☎ 310/451-7800

(Colorado Ave) 🏠 *Cuisine italienne* ●●● ▯ 🕐 *tlj. 7h00-0h00* 🎫 *tlj. 7h00-21h00* ◆ *301 N. Beverly Dr., Beverly Hills* ☎ 310/550-8330

Les restaurants Il Fornario, chaîne de boulangeries en Italie, sont connus pour l'authenticité de leur cuisine italienne et pour leurs superbes pains et pâtisseries. Leur atmosphère est à la fois rustique et sophistiquée. La plupart possèdent une boulangerie séparée, un café et un bar. La carte comprend des salades, des pâtes, un merveilleux poulet rôti, des pizzas cuites au four à bois et des menus régionaux qui changent tous les mois.

Sans oublier

■ **Chinois on Main (60)** 2709 Main Street, Santa Monica, CA 90405 ☎ 310/392-9025 ●●●●● *Un décor éclatant et une atmosphère bruyante pour cette étoile de la galaxie Wolfgang Puck. Plusieurs plats remarquables, comme le poisson-chat à la sauce ponzu ou le foie de canard sauté à l'ananas et au gingembre, figurent au menu depuis les débuts de ce pionnier, Too Hot Tamales. Le menu attrayant s'éloigne depuis les premiers à marier les techniques et les saveurs asiatiques avec celles de France et de Californie. Réservation vivement conseillée.* ■ **El Cholo (61)** 1025 Wilshire Blvd, Santa Monica, CA 90401 ☎ 310/899-1106 ●● *Cet incontournable mexicain, géré par la même famille depuis cinq générations, est célèbre pour ses plats mexicano-californiens, son décor coloré, ses prix bon marché, et surtout pour ses gigantesques Margaritas et ses tamales au maïs vert.* ■ **Broadway Deli (62)** 1457 Third Street Promenade, Santa Monica, CA 90401 ☎ 310/451-0616 ●● *Aux traditionnels matzo ball soup et Reuben sandwiches s'ajoutent des plats classiques américains tels que la tourte au poulet, le pain de viande et sa purée et les macaronis au fromage. Ce restaurant au décor high-tech abrite une boulangerie, un traiteur et une épicerie fine.*

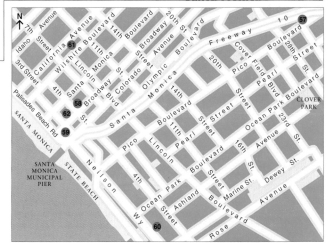

La majorité des restaurants de cette cité balnéaire se trouve le long d'Ocean Avenue, sur la frénétique Third Avenue Promenade et dans Main Street, à l'atmosphère plus calme. Ne manquez pas le Farmer's Market ➡ 124 du mercredi matin qui est le plus vaste et peut-être le meilleur marché en plein air de l'État.

Près de là

- ▶ **Dormir :** pages 28 et 30
- ▶ **Sortir :** pages 68, 70, 74 et 80
- ▶ **Voir :** pages 86, 96, 106 et 108
- ▶ **Acheter :** pages 126 et 144

Se restaurer

Joe's (63)

1023 Abbot Kinney Boulevard, Venice, CA 90291 ☎ 310/399-5811

(Broadway) 🅿 📷 *Cuisine franco-californienne* ●●●● 🔲 ▬ 🕐 *mar.-jeu. 11h30-14h30, 18h00-22h30 ; ven. 11h30-14h30, 18h00-23h00 ; sam. 11h00-14h30, 18h00-23h00 ; dim. 11h00-14h30, 18h00-22h30* 🍷 ✴

Le cadre reflète le caractère bohème de Venice, mais le service est efficace et les plats originaux du chef Joe Miller sont présentés avec soin. Le dîner est peu cher, comparé à la qualité de la cuisine, et le déjeuner qui comprend trois plats, est l'une des meilleures affaires en ville. Réservation conseillée.

Aunt Kizzy's Back Porch (64)

Villa Marina Shopping Center, 4325 Glencoe Avenue, Marina del Rey, CA 90292 ☎ 310/578-1005

(Mindanao Way) 🅿 *Cuisine du sud des États-Unis* ● 🔲 🕐 *lun.-jeu. 11h00-22h00 ; ven.-sam. 11h00-23h00 ; dim. 11h00-15h00*

Niché dans un centre commercial, ce restaurant sudiste sert une *soul food* généreuse à tous points de vue, dans un cadre des plus détendus. Parmi les spécialités figurent le poisson-chat et le poulet frits, les côtelettes de porc à l'étouffée et les côtes de bœuf sauce barbecue, toujours accompagnés de légumes du Sud tels que les *black-eyed peas* (pois chiches) et le chou frisé, les haricots rouges, le riz et le traditionnel et délicieux pain de maïs. Le brunch dominical à $ 11,95 est une véritable affaire.

James' Beach (65)

60 N. Venice Boulevard, Venice, CA 90291 ☎ 310/823-5396

(Pacific Ave) 🅿 📷 *Cuisine américaine* ●●● 🔲 ▬ 🕐 *lun.-mar. 18h00-22h30 ; mer. 11h30-15h00, 18h00-22h30 ; jeu.-ven. 11h30-15h00, 18h00-1h00 ; sam. 10h00-15h00, 18h00-1h00 ; dim. 10h00-15h00* 🔼 *en terrasse* 🍷 ✴

À proximité des planches de Venice Beach ➡ 106, le Jame's Beach est le rendez-vous favori de la faune artistique locale. Le chef Shari Lynn Robbins cuisine à la perfection des classiques américains dénués de prétention : un superbe poulet frit, un merveilleux club sandwich et du foie de veau fondant à souhait. Le brunch dominical est une véritable institution.

Cafe del Rey (66)

4451 Admiralty Way, Marina del Rey, CA 90292 ☎ 310/823-6395

(Bali Way) 📷 *Cuisine Pan-Asian* ●●●● 🍴 ▬ 🕐 *lun.-jeu. 11h30-14h30, 17h30-22h00 ; ven.-sam. 11h30-14h30, 17h30-22h30 ; dim. 10h30-14h30, 17h00-21h30* 🍷 ✴ 🎵

Cet établissement à succès propose des mets délicieux importés des régions du Pacifique, un service parfait et une carte des vins exceptionnelle, le tout assorti d'une vue panoramique sur la marina.

Sans oublier

■ **C & O Trattoria (67)** 31 Washington Blvd, Marina del Rey, CA 90292 ☎ 310/823-9491 ● *Célèbre pour ses gargantuesques portions de pâtes et ses divins pains chauds à l'ail. Toujours bondé : arrivez tôt ou réservez.* ■ **26 Beach Cafe (68)** 26 Washington St., Marina del Rey, CA 90292 ☎ 310/821-8129 ● *Ce restaurant-patio funky sert des spécialités aussi délicieuses que bon marché : burgers - notamment à la dinde et aux légumes -, salades et roboratifs plats de pâtes.*

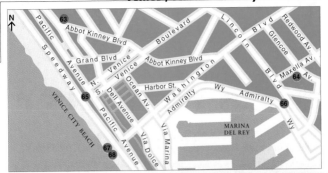

63

Au nord du petit port de Marina del Rey, Venice, une enclave bohème et éclectique, éclipse son élégante voisine par le nombre et la qualité de ses restaurants, souvent situés sur Abbot Kinney Boulevard, entre Main Street et Venice Boulevard.

26 Beach Café

"mystical touch of elegance that tickles the epicurean"

67

Près de là

▣▸ **Dormir** : page 32
▣▸ **Sortir** : page 80
▣▸ **Voir** : pages 86 et 106
▸ **Acheter** : pages 126 et 144

Se restaurer

P.F. Chang's China Bistro (69)
2041 Rosecrans Avenue, El Segundo, CA 90245 ☎ 310/607-9062

(Nash St.) **P** 🅿 **Cuisine chinoise** ●● ▢ 🕒 *dim.-jeu. 11h00-23h00 ; ven.-sam. 11h00-0h00* 🍸 ⭐ 🔁 *121 N. La Cienaga, Los Angeles* ☎ *310/854-6467*

P.F. Chang marie les gastronomies cantonaise, du Sichouan, du Hunan et de Mongolie avec le pragmatisme californien. Une cuisine ouverte, fait inhabituel dans un restaurant chinois, et un élégant décor contemporain combinant fresques murales et parquets de bois foncé théâtralisent les lieux. La cuisine est sans glutamate - la bête noire des accros de la diététique -, et plus de quarante vins sont servis au verre.

Kincaid's Fish, Chop & Steak House (70)
500 The Pier, Redondo Beach, CA 90277 ☎ 310/318-6080

(Torrance Blvd) **P** **Cuisine américaine et de la mer** ●●● ▢ 🕒 *lun.-jeu. 11h30-22h00 ; ven.-sam; 11h30-23h00 ; dim. 10h00-20h00* 🅿 *en terrasse* 🍸 ⭐ 🔀 ⊞

L'intérieur théâtral de cet imposant restaurant est souligné par des bois sombres et précieux, et ses hautes baies vitrées donnent sur un magnifique panorama marin. Le menu éclectique comprend des plats de fruits de mer et, plus classiquement, des steaks et des côtelettes. Les serveurs bien entraînés canalisent avec succès le flot des clients mais l'attente n'en est pas moins longue. Pour la rendre plus supportable, un grand choix de Margaritas et de Martini sont servis dans le vaste et confortable bar.

Chez Melange (71)
Palos Verdes Inn, 1716 Pacific Coast Highway, Redondo Beach, CA 90277 ☎ 310/540-1222

(Palos Verdes Blvd) **P** **Cuisine éclectique** ●●● 🍴 ▢ 🕒 *tlj. 11h00-14h30, 17h00-22h00* 🍸

Cette destination fort prisée des habitants de ces rivages est réputée pour son menu californien éclectique : du pain de viande cajun aux *tostadas* à la mode Pacifique, en passant par le canard grillé à l'asiatique. Ne vous laissez pas décourager par le cadre *coffee shop* de motel ! et profitez plutôt du bar animé, où sont servis de délicieux Martini.

Gina Lee's Bistro (72)
211 Palos Verdes Boulevard, Redondo Beach, CA 90210 ☎ 310/274-9800

(entre Catalina Ave et PCH) **P** **Cuisine éclectique** ●●● 🍴 ▢ 🕒 *mar.-dim. 17h00-22h00*

Ce petit bistrot bruissant d'activité, situé dans un centre commercial, a très vite connu le succès grâce à son menu créatif, souvent renouvelé, et à ses dynamiques propriétaires, Gina Lee et son mari-chef Scott. D'après ses habitués, la cuisine, spécialisée dans les fruits de mer à dominance asiatique, ne cesse de s'améliorer. Les herbes fraîches disposées sur les tables ajoutent une touche personnelle et le service est amical et vivace.

Sans oublier

■ **Martha's 22ⁿᵈ Street (73)** 25 22ⁿᵈ Street, Hermosa Beach, CA 90254 ☎ 310/376-7786 ● *Ouvert pour le petit déjeuner et le déjeuner, ce bistrot de plage tout simple sert une cuisine décente. Attention à la file d'attente !*

Des kilomètres de sable blanc bordent l'océan le long des agglomérations très peuplées d'Hermosa, de Redonda et de Manhattan Beaches. L'embellie récente de leurs restaurants correspond à l'afflux de nouveaux arrivants jeunes et prospères.

70

70

73

70

70

Près de là
 Dormir : page 34
Sortir : page 8
Voir : pages 86, 106 et 110
Acheter : page 126

Se restaurer

King's Fish House / King Crab Lounge (74)
100 W. Broadway, Long Beach, CA 90802 ☎ 562/432-7463

(Pine Ave) **P Cuisine de la mer ●●●** ▣ ◷ *dim.-lun. 11h15-21h00 ; mar.-jeu.*
11h15-22h00 ; ven.-sam. 11h15-23h00 ▮ ▩

Un même toit pour deux restaurants et deux ambiances. Le King's Fish
House arbore des nappes immaculées et cultive l'ambiance club ; le King
Crab Lounge, quant à lui, loufoque et sans façon avec sa terrasse sur la rue
principale, propose un vaste menu de fruits de mer d'une qualité équivalente
comprenant plusieurs plats de crevettes épicées façon Nouvelle-Orléans.

L'Opera (75)
101 Pine Avenue, Long Beach, CA 90802 ☎ 562/491-0066

(1ˢᵗ St.) **P P Cuisine italienne ●●●** ▤ ▣ ◷ *lun.-jeu. 11h30-23h00 ;*
ven. 11h30-0h00 ; sam. 17h00-0h00 ; dim. 17h00-22h00 ▮

Situé dans une ancienne banque, L'Opéra passe depuis longtemps pour
le meilleur italien de Long Beach, et peut-être de L.A. Il sert une cuisine
exceptionnelle dans un décor spectaculaire. La carte des vins a même été
primée ; de nombreux crus mûrissent dans l'ancienne salle des coffres.

Frenchy's Bistro (76)
4137 E. Anaheim Street, Long Beach, CA 90804 ☎ 562/494-8787

(entre Termino et Ximeno Aves) **P Cuisine française ●●●** ▣ ◷ *mar.-jeu. 11h30-*
14h30, 17h30-21h30 ; ven. 11h30-14h30, 17h30-22h00 ; sam; 17h30-22h00 ▮

Ce bistrot est l'un des secrets les mieux gardés de Long Beach. Son
atmosphère est chaleureuse, et l'accueil amical et personnalisé met tout
le monde à l'aise. Le menu d'inspiration provençale comprend des plats
très tentants tels que la côtelette de venaison avec de la polenta et une
sauce balsamique ou au cassis, et le saumon en croûte à la pistache
sur une brandade de morue, accompagné d'un bouillon de tomates.

Belmont Brewing (77)
Belmont Pier, 25 39ᵗʰ Place, Long Beach, CA 90803 ☎ 562/433-3891

(Ocean Blvd) **P Cuisine américaine éclectique ●●** ▤ ▣ ◷ *lun.-ven. 11h30-*
22h00 ; sam. 10h00-22h00 ; dim; 9h00-22h00 ◪ *en terrasse* ▮ ▩ ▨

Cette brasserie décontractée située au pied de Belmont Pier jouit d'une
vue spectaculaire sur les îles de Catalina. Les affamés trouveront ici une
alléchante sélection de salades, de pizzas et de pâtes, et autres plats
substantiels : canard braisé aux pâtes, *baby back ribs* et sa purée à l'ail,
coquilles Saint-Jacques séchées au *cilantro pesto*. Une dégustation à $ 4
permet de goûter cinq des bières maisons. Une affaire ! Tout comme
le breakfast dominical dont la plupart des plats coûtent $ 7.

Sans oublier

■ **Sir Winston's (78)** Queen Mary, 1126 Queen's Highway, Long Beach,
CA 90802 ☎ 562/435-3511 **●●●●** *Le menu date un peu, mais la cuisine classique,
d'inspiration européenne, est étonnamment bonne pour un endroit aussi touristique.*
■ **Shenandoah Café (79)** 4722 E. Second Street, Long Beach, CA 90803
☎ 562/434-3469 **●●** *Ce charmant restaurant campagnard, spécialisé dans la
cuisine régionale américaine, est une véritable affaire : les entrées sont comprises
ainsi que les beignets maison et, au choix, une soupe ou une salade.*

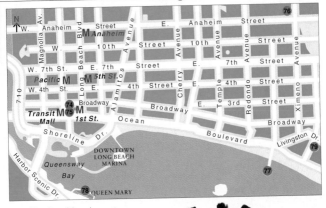

Long Beach, voisine du port commercial le plus actif des États-Unis, peut se targuer de posséder plusieurs atouts : le *Queen Mary* ➤ 110, le Long Beach Convention and Entertainement Center et le Long Beach Aquarium ➤ 110. De nouveaux restaurants s'y sont installés, attirés par un tourisme en pleine expansion.

78

75

77

78

Horaires

La majorité des établissements ferme à 2h00, lorsqu'ils cessent de servir de l'alcool, mesure destinée à limiter les conduites en état d'ivresse. D'autres restent ouverts plus tard, en particulier les vendredis et samedis, et la vente d'alcool reprend à partir de 6h00. Renseignez-vous auprès du personnel.

▶ Sortir

No smoking

Même pour les lieux de sorties la loi californienne n'a prévu aucune dérogation. Vous ne pourrez fumer que dans les patios, en terrasse ou, tout simplement, dans la rue !

Droits d'entrée

Cover (admission) charge droit d'entrée
Minimum charge montant minimal de consommations
Music charge supplément à payer pour assister au spectacle

Programmes festifs

Toutes les réjouissances locales sont répertoriées dans le *L.A. Weekly, New Times* (journaux gratuits, distribués le jeudi dans la plupart des cinémas, clubs, *coffee shops* et boutiques) ainsi que dans la section "Calendar" de l'édition du jeudi du *Los Angeles Times*. Procurez-vous les prospectus annonçant les fêtes locales dans les magasins de disques indépendants (sur Melrose Avenue).

Âge légal

L'entrée des bars et clubs de Los Angeles est interdite aux moins de 21 ans. Aussi, munissez-vous de vos papiers d'identité. Les adolescents ont leurs propres adresses, vous les trouverez dans les petites annonces des journaux locaux ou dans les boutiques destinées aux jeunes.

63
Sorties

SÉLECTIONNÉES ET PRÉSENTÉES PAR
REGAN KIBBEE & SCOTT ARUNDALE

Festivals

La vie culturelle de Los Angeles, moderne Babylone, reflète la diversité de sa population. Des centaines de festivals, souvent libres d'entrée, ont lieu tout au long de l'année. Avant le départ, consultez le site : *www.culturela.org* Sur place, téléphonez aux affaires culturelles de L.A ☎ *213/485-2433*
Avril Los Angeles Independant Film Festival
Juin-septembre Hollywood Bowl Summer Festival
Juin-octobre Grand Performances at California Plaza
Juillet-septembre Santa Monica Pier Twilight Dance Series

À Los Angeles, les bars peuvent être des lieux de rencontre décontractés ou des endroits beaucoup plus chics ➡ 70. La plupart n'offrent pas de service de restauration, sauf s'ils font partie d'un restaurant. Un conseil, ayez toujours une pièce d'identité sur vous car les portiers et barmen peuvent vérifier votre âge, même si vous avez plus de 30 ans !

Sortir

North (1)
8029 Sunset Blvd, West Hollywood, CA 90046 ☎ 323/654-1313

(Laurel Ave) 🅿 🔲 📶 🔲 🕐 *lun.-sam. 18h00-2h00 ; dim. 19h00-2h00* ● *$ 6*
🍴 *lun.-sam. 18h00-1h00 ; dim. 19h00-0h00* 🔵 *en terrasse* ✖

Avec sa grande salle aux boiseries chaleureuses qui évoque un gîte montagnard et sa petite mais confortable mezzanine, ce bar-restaurant a très vite remporté les suffrages des créateurs de tendances. Le Pearl Necklace, cocktail à la crème de menthe, est recommandé. Réservez les vendredis et samedis soir si vous souhaitez dîner dans un box. Attention ! l'établissement n'est pas visible de la rue et l'entrée se trouve à l'arrière.

Formosa Café (2)
7156 Santa Monica Blvd, West Hollywood ☎ 323/850-9050

(Formosa Ave) 🔲 🔲 🕐 *lun.-ven. 16h00-2h00 ; sam.-dim. 18h00-2h00* ● *$ 5*
🍴 🔵 *en terrasse* ✖

Formosa Café fait face à l'un des plus anciens studios d'Hollywood, d'où les innombrables photos de stars qui recouvrent ses murs. D'ailleurs l'ambiance du bar et du restaurant est digne d'un décor de film noir des années 50. Quant au patio, il se signale davantage par son style sino-américain plus contemporain. Mieux vaut arriver tôt, surtout le week-end.

El Carmen (3)
8138 3rd Street, Los Angeles, CA 90048 ☎ 323/852-1552

(Crescent Heights Blvd) 🔲 🔲 🕐 *lun.-ven. 17h00-2h00 ; sam.-dim. 19h00-2h00*
● *$ 6* 🍴

Ouvert en 1927, El Carmen a le charme désuet d'un saloon de la frontière mexicaine. C'est une création du célèbre restaurateur Sean McPherson, également responsable du Bar Marmont ➡ 72 et du Good Luck Club. Admirez les lutteurs masqués peints sur feutre qui ornent le plafond et le motif élaboré des mosaïques tout en sirotant un margarita (plus de 200 sortes de tequila sont disponibles). Malgré son côté frimeur et son service un tantinet désinvolte, El Carmen est le rendez-vous des branchés.

Sans oublier

■ **Circle Bar (4)** 2926 Main Street, Santa Monica, CA 90405 ☎ 310/450-0508 *Cet ancien bouge a trouvé un second souffle sous la houlette de Will Karges, propriétaire du Jones et du Rix. Cet établissement douillet, généreusement éclairé à la bougie, est aussi bruyant et constamment bondé. La clientèle se partage entre le style surfer et le glamour hollywoodien ; l'observer tout en jouant des coudes pour accéder au bar circulaire est une véritable distraction. Certaines soirées sont animées par des DJ.* ■ **The Room (5)** 1626 N. Cahuenga Blvd, Hollywood, CA 90028 ☎ 323/ 462-7196 *De grands DJ se produisent dans cet endroit confortable, vu dans le film Swingers. Tout son mystère réside dans son entrée qui, située à l'arrière, est difficile à trouver !* ■ **Boardner's (6)** 1652 Cherokee Blvd, Hollywood, CA 90046 ☎ 323/462-9621 *N'hésitez pas à très vite traverser ce bar grunge afin d'accéder à sa charmante cour intérieure.* ■ **Good Luck Bar (7)** 1514 N. Hillhurst Ave, Hollywood, CA 90027 ☎ 323/666-3524 *Un établissement au thème néo-asiatique, divisé en plusieurs zones meublées de sièges confortables et surdimensionnés.* ■ **Liquid Kitty (8)** 11780 W. Pico Blvd, West Hollywood, CA 90064 ☎ 310/473-3707 *Abreuvez-vous de dry martini et de bonne musique dans ce bar intime et enfumé.*

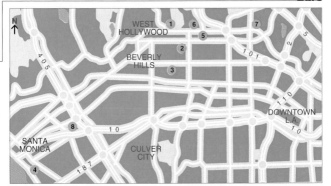

CIRCLE BAR
SANTA MONICA

Dans la pure tradition américaine, les *cocktails lounges* sont des lieux sombres, chaleureux et confortables où l'on vient pour se détendre, écouter de la musique ou discuter avec des amis tout en sirotant un Martini au nom souvent évocateur (Sex on the Beach, Kamikaze, Manhattan…). N'hésitez pas à demander au barman quelles sont ses spécialités.

Sortir

Yamashiro (9)
1999 N. Sycamore Ave, Hollywood, CA 90068 ☎ 323/466-5125

(Franklin Ave) 🈲 🔲 🕐 *dim.-jeu. 16h30-0h30 ; ven.-sam. 16h30-1h30* ● *$ 7* 🍴 *dim.-jeu. 17h30-21h30 ; ven.-sam. 17h30-22h30* 🅿️ *en terrasse* ❌ 🌿

Juchée sur la colline d'Hollywood, cette ancienne demeure privée de 1911, réplique d'un palais de Kyoto, offre une des plus étourdissantes vues sur Los Angeles. Son bar à sushis et son restaurant sont relativement chers, mais le bar, qui propose de fabuleux cocktails originaux à base de rhum tels que le Scorpion ou le Mai Tai, constitue son véritable centre d'attraction. Venez au crépuscule, le moment magique où s'illumine la Cité des Anges.

Lava Lounge (10)
1533 N. La Brea, Hollywood, CA 90028 ☎ 323/876-6612

(Sunset Blvd) 🅿️ 🔲 🕐 *tlj. 21h00-2h00* ● *$ 5 ; cover charge $ 4* 🎵

Ne vous laissez pas intimider par la situation peu prestigieuse de ce bar au toit de palmes, niché dans un mini-centre commercial. La maison livre ici sa propre vision du kitsch avec sa chute d'eau cascadant sur des roches de lave, sa constellation d'étoiles scintillant au plafond et sa petite scène où se produisent des musiciens de rétro-funk, de jazz ou jouant une sirupeuse *lounge music*. L'endroit est minuscule, branché, parfois enfumé, parfait si vous aimez vous faire bousculer par les danseurs au rythme de l'orchestre ou d'un occasionnel DJ.

Daddy's (11)
1610 Vine Street, Hollywood, CA 90028 ☎ 323/463-7777

(Selma Ave) 🅿️ 🔲 🕐 *lun.-sam. 21h00-2h00 ; ven.-sam. 16h30-1h30* ● *$ 6*

L'ex-Lucky Seven décline le rouge sous toutes ses formes, des banquettes au bar capitonné en passant par les rideaux de velours. C'est un cocktail lounge dans la plus pure tradition américaine, à l'atmosphère discrète et sans chichis, idéal pour s'attarder en couple ou entre amis en sirotant un ou deux Martini au son du juke-box bien achalandé. Cependant, n'oubliez pas votre lampe de poche, car il fait sombre à l'intérieur.

Sans oublier

■ **Lounge 217 (12)** 217 Broadway, Santa Monica, CA 90401 ☎ 310/394-6336 *Un mur en béton brut et une lourde porte en bois massif sont les signes distinctifs de ce bar sans enseigne réputé pour ses Martini. À l'intérieur, un éclairage tamisé, un décor simple et élégant, et une atmosphère singulière lui confèrent un charme intime.* ■ **360 (13)** 6290 Sunset Blvd, Hollywood, CA 90028 ☎ 323/871-2995 *Perché sur le toit d'un immeuble, ce restaurant-bar est célèbre pour sa vue.* ■ **Tiki Ti (14)** 4427 Sunset Blvd, Los Angeles, CA 90027 ☎ 323/669-9381 *Impossible de s'ennuyer dans ce légendaire petit bar polynésien. Cependant, téléphonez pour vérifier les heures d'ouverture.* ■ **Three Clubs (15)** 1123 N. Vine Street, Hollywood, CA 90038 ☎ 323/462-6441 *Pas d'enseigne, un intérieur aux boiseries foncées et des boxes capitonnés pour cet établissement plein de classe et très prisé.* ■ **Trader Vic's (16)** Beverly Hilton, 9876 Wilshire Blvd, Beverly Hills, CA 90210 ☎ 310/274-7777 *Cet établissement bon chic bon genre propose de célèbres cocktails à base de rhum et d'appétissantes assiettes d'amuse-gueules variés.*

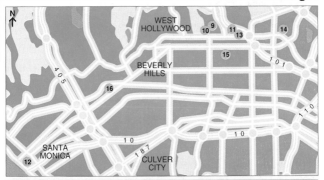

3 Clubs

DAVID H. MILLIS

1123 N. VINE STREET
HOLLYWOOD, CA 90038
TEL 213.462.6441
FAX 213.469.1965

Cocktail Lounge

Le Strip ! comme l'appellent les Angelinos. Cette section du Sunset Boulevard longue de 2,5 km est, depuis les années 30, le rendez-vous d'une faune des plus éclectiques : charlatans en tout genre, danseurs, photographes, célébrités et touristes s'y retrouvent dès la nuit tombée. C'est ici que sont concentrés les plus grands night-clubs.

Sortir

Whisky A Go Go (17)
8901 Sunset Boulevard, West Hollywood, CA 90069 ☎ 310/652-4202

(San Vincente Blvd) 🅿 🖵 🕐 *tlj. 20h00-1h00* ● *$ 5,50 ; cover charge $ 10-12* 🎏

Depuis 1964, le Whisky A Gogo accueille les plus grands groupes : The Doors, Jimmy Hendrix, Sonny and Cher, Van Halen ou Nirvana. Toutes les tranches d'âge y sont les bienvenues, mais la jeunesse est majoritaire. Un balcon surplombe la petite scène de cet établissement à l'atmosphère intime où vous verrez peut-être votre groupe de rock favori, à moins que vous n'y découvriez de nouveaux talents. Les cartes de crédit sont acceptées, sauf à l'entrée, où les espèces sont exigées pour les *cover charges*.

Viper Room (18)
8852 Sunset Boulevard, West Hollywood, CA 90069 ☎ 310/358-1881

(Larrabee St.) 🕴 🖵 🕐 *tlj. 21h00-2h00* ● *$ 5 ; cover charge $ 10* 🎵

Le Viper Room de Johnny Depp (entrée juste à côté du Strip) accueille parmi les nuits les plus chaudes de L.A. La mort du talentueux jeune acteur River Phoenix, décédé à sa porte, l'a propulsé vers la gloire. Le club combine le pire et le meilleur des soirées hollywoodiennes : il est petit, enfumé, difficile d'accès, mais ses programmes, souvent superbes, vont des *house* ou *progressive musics* concoctées par des DJ aux visites surprises de formations renommées. On y croise parfois des célébrités, surtout si l'on s'aventure dans la très secrète salle des VIP.

House of Blues (19)
8430 Sunset Boulevard, West Hollywood, CA 90069 ☎ 323/848-5100

(La Cienaga Blvd) 🕴 🖵 🕐 *tlj. 20h00-1h30* ● *$ 5 ; cover charge $ 18-25* 🎏 *tlj. 11h30-0h00* 🍴 *en terrasse* 🎵 🎴 ✳

Des formations de classe internationale se produisent dans cette succursale d'une chaîne de clubs vouée à la musique. Le House of Blues évoque le club de blues d'un trou perdu en version Disneyland. On y trouve même une boutique de souvenirs. Il n'en reste pas moins une bonne adresse pour les vrais amateurs. Réservez pour le dîner, à moins d'être prêt à passer la soirée debout. Le menu comprend des plats cajuns et sudistes et le club propose en outre un *Sunday Gospel Brunch*. Ne manquez pas les tableaux naïfs accrochés au mur, les symboles religieux de toutes confessions au-dessus, et l'amusant bar du designer Jon Bock.

Sans oublier

■■ **Key Club (20)** 9039 Sunset Blvd, West Hollywood, CA 90069 ☎ 310/786-1712 *Un night-club de luxe sur deux niveaux. Le public, selon les spectacles, varie du flashy au funky.* ■■ **The Roxy Theater (21)** 9009 Sunset Blvd, West Hollywood, CA 90069 ☎ 310/276-2222 *Un temple du rock 'n' roll. Des groupes célèbres ou simplement prometteurs ont brûlé ses planches.* ■■ **The Sky Bar (22)** Mondrian, 8440 Sunset Blvd, West Hollywood, CA 90069 ☎ 323/650-8999 *Élégant bar installé au sommet de l'hôtel Mondrian ➡ 22, avec superbe vue sur la ville. Sélection draconienne à la porte.* ■■ **Coffee House (23)** 8226 Sunset Blvd, West Hollywood, CA 90046 ☎ 323/848-7007 *Ce coffee shop et restaurant, ouvert par l'émérite Brent Bolthouse, cultive une atmosphère seigneuriale et confortable.* ■■ **Bar Marmont (24)** Chateau Marmont, 8171 Sunset Blvd, West Hollywood, CA 90046 ☎ 323/650-0575 *Un lieu haut de gamme, au parfum colonial, où l'on peut se frotter à la gent hollywoodienne.*

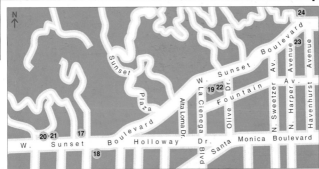

Los Angeles possédait jadis de fabuleux "palais du cinéma" voués au culte du septième art. L'indifférence et l'absence de soutien financier ont précipité la fin ou la reconversion en magasins de ces joyaux architecturaux, particulièrement dans Downtown. Certains parmi les plus prestigieux ont néanmoins été sauvés et ont renoué avec leur vocation.

Sortir

Egyptian Theater (25)
6712 Hollywood Blvd, Hollywood, CA 90028 ☎ 323/466-3456

(Las Palmas Blvd) 🅿 ▤ 🕐 *variables* ● *$ 7-15* 🌟 🎞

Sid Grauman a bâti en 1922 ce temple du septième art, l'un des premiers palais du cinéma muet. Aujourd'hui, il abrite la cinémathèque américaine, qui l'a amoureusement restauré et doté d'appareils de projection ultra-sophistiqués. *Forever Hollywood*, un film rendant hommage à la ville et à ses studios, est programmé du mardi au dimanche. Le théâtre étant souvent loué, téléphonez à l'avance pour connaître ses horaires et ses prix.

Silent Movie House (26)
611 N. Fairfax Avenue, Los Angeles, CA 90036 ☎ 323/655-2520

(Melrose Ave) 🕐 *mar.-ven. 20h00 ; sam. 13h00, 20h00, 22h15 ; dim. 13h00, 20h00* ● *$ 8 ; réduit $ 6* ▤

Un beau jour, Charlie Lustman, un auteur de chansons, remarque cette bâtisse désolée, fermée depuis le meurtre de son propriétaire, en 1997. Devenu le maître des lieux, il découvre sous la scène un trésor inestimable : plus de 3000 films muets. Ouvert en 1942 par les collectionneurs John et Dorothy Hampton, le Silent Movie House, depuis, renaît de ses cendres. C'est le seul cinéma américain consacré au cinéma muet, de Charlie Chaplin à Buster Keaton et Cecil B. DeMille. Afin de conserver l'ambiance, les projections sont accompagnées à l'orgue ou au piano.

Highways Performance Space (27)
1651 18th Street, Santa Monica, CA 90404 ☎ 310/453-1755

(Pico Blvd) 🅿 🕐 *ven.-sam. 20h30 ; dim. 17h00* ● *$ 12-15*

Depuis mai 1989, ce théâtre accueille des performances, des ballets et des *spoken words* (spectacles de poésie, monologues, etc.) les plus novateurs de Los Angeles. Il est surtout connu pour ses ateliers et pour sa salle de 99 places qui présente des œuvres d'artistes gays ou issus de minorités.

Sans oublier

■ **Chinese Theater (28)** 16925 Hollywood Blvd, Hollywood, CA 90028 ☎ 323/464-8111 *Tout comme à l'inauguration le 18 mai 1927 avec King of Kings de Cecil B. DeMille, d'interminables queues s'étirent devant cette Mecque du cinéma lors des veilles de premières* ➡ *98.* ■ **Odessey Theater (29)** 2055 S. Sepulveda Blvd, West Los Angeles, CA 90025 ☎ 310/477-2055 *Venez découvrir ici les étoiles de demain. Ses trois scènes accueillent de nombreuses premières mondiales, des grandes pièces classiques aux thrillers politiques les plus actuels.* ■ **El Capitan (30)** 6838 Hollywood Blvd, Hollywood, CA 90028 ☎ 323/467-7674 *Un monument historique restructuré et investi par Disney. Il programme des films du célèbre producteur et des spectacles dérivés qui séduisent petits et grands.* ■ **Pacific's Cinerama Dome (31)** 6360 Sunset Blvd, Hollywood, CA 90028 ☎ 323/466-3401 *Ce dôme blanc, véritable bijou architectural, occupe une place à part dans le cœur des Angelinos : tout le monde y a vu au moins l'un de ses films favoris.* ■ **The Actors' Gang Theater (32)** 6209 Santa Monica Blvd, Hollywood, CA 90038 ☎ 323/465-0566 *Tim Robbins est l'un des initiateurs de cette troupe de théâtre d'avant-garde qui présente des œuvres originales et toujours captivantes.* ■ **Mark Taper Forum & Ahmanson Theater (33)** 135 N. Grand Avenue, Los Angeles, CA 90012 ☎ 213/628-2772 *Les deux théâtres les plus célèbres et les plus respectés de L.A.*

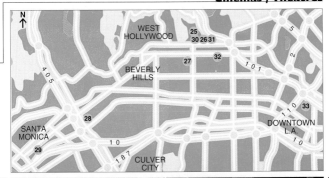

Mère patrie des *stand-up comedies*, Los Angeles accueille les comiques venus des quatre coins du pays dans l'espoir de se faire repérer par l'industrie du cinéma et de la télévision. Les cabarets programment de la *lounge music* qui peut aller de la musique rétro des années 50-60 à la plus contemporaine. Téléphonez pour connaître le programme.

Sortir

Dresden Room (34)
1760 N. Vermont Avenue, Hollywood, CA 90027 ☎ 323/665-4294

(Prospect Ave) 🅿 🕍 ▭ 🕐 *lun.-sam. 11h30-2h00 ; dim. 16h00-0h00* ● *$ 4-7* 🍴

Au fil des ans, ce bar-restaurant a subi tous les aléas de la mode sans perdre pour autant son principal atout : le duo de Marty et Elaine. Il faut les voir pour y croire : indémodables, ils interprètent des chansons anciennes et nouvelles avec un talent indéniable mais quelque peu décalé. Le mardi, ce sont des chanteurs invités qui torturent les succès des crooners. Fous rires et sifflets garantis.

The Groundlings (35)
7307 Melrose Avenue, Los Angeles, CA 90046 ☎ 323/934-9700

(Fuller Ave) 🕍 ▭ 🕐 **spectacles** *jeu. 20h00 ; ven. 20h00, 22h00 ; sam. 20h00, 22h00 ; dim. 19h30 ; fermé Thanksgiving, Noël* ● *$ 12-18,50* ❎ ⚜

The Groundlings est le royaume du sketch et de l'impro. Les troupes les plus célèbres de L.A. s'y produisent, offrant chaque soir un spectacle différent. L'établissement abrite aussi une école pour les professionnels, ouverte au public. Pee Wee Herman, Jon Lovitz et Lisa Kudrow figurent parmi ses anciens élèves et acteurs. Attention ! réservations obligatoires.

Luna Park (36)
665 N. Roberston, West Hollywood, CA 90069 ☎ 310/652-0611

(Santa Monica Blvd) 🕍 *$ 4* 🍴 🕐 *tlj. 18h00-2h00* ● *$ 4-7 ; **cover charge** $ 6* 🍴 *dim., mar.-jeu. 18h30-23h00 ; ven.-sam. 18h30-0h00* 🔋 *en terrasse* 🎵 ❎

Jean-Pierre Boccara a sans doute créé le meilleur club tout-en-un de Los Angeles : le Luna Park est célèbre pour sa cuisine savoureuse, son ambiance confortable, sa clientèle multiculturelle et ses attractions éclectiques. La musique vient de tous les horizons, du *world beat* au jazz, et le club abrite deux scènes, trois bars, une zone restaurant et un patio vaste et agréable destiné aux fumeurs. Le dimanche soir, Beth Lapidest anime son Un-Cabaret dont les *stand-up comedies* (numéros comiques improvisés) décoiffants recueillent tous les suffrages.

Sans oublier

■ **Les Deux Cafés (37)** 1638 N. Las Palmas, Hollywood, CA 90028 ☎ 323/465-0509 *Le plus jet-set des clubs-restaurants est flanqué au beau milieu d'un parking ! Les stars de l'Industry et de la mode raffolent de cette maison de 1904, agréablement restaurée et qui abrite un dédale de salles et de patios. Pour mieux se fondre dans le décor, habillez-vous de noir.* ■ **The Laugh Factory (38)** 8001 Sunset Blvd, West Hollywood, CA 90069 ☎ 323/656-1336 *Comme son nom l'indique, c'est l'adresse idéale pour les marathoniens du rire.* ■ **Comedy Store (39)** 8433 W. Sunset Blvd, West Hollywood, CA 90069 ☎ 323/656-6225 *Un populaire club du Sunset Strip où de nombreux comiques ont fait leurs premières armes.* ■ **The L.A. Improv (40)** 8162 Melrose Ave, Hollywood, CA 90046 ☎ 323/651-2583 *Robin Williams, Jay Leno et Jerry Seinfeld ont fait leur début sur les planches de cette annexe du célèbre club new-yorkais. Vous pouvez facilement dîner au Hell's Kitchen, mais il est vivement conseillé de réserver pour les spectacles.* ■ **Largo (41)** 432 N. Fairfax Ave, Los Angeles, CA 90036 ☎ 323/852-1073 *Un endroit où écouter de la musique live dans une atmosphère confortable, joyeuse et bon enfant.*

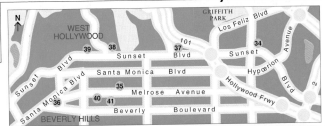

À Los Angeles, toutes les formes de *live music* coexistent : swing, folk, rock, jazz, salsa, pop, voire même country ! Quantité de vedettes de la musique vivent et jouent ici car la ville est le siège des plus grandes maisons de disques. Et les artistes en tournée se font un point d'honneur de se produire dans la Cité des Anges.

 # Sortir

Dragonfly (42)
6510 Santa Monica Blvd, Hollywood, CA 90038 ☎ 323/466-6111

(Wilcox Ave) �}🖥🕐 *tlj. 21h00-2h00* ● *$ 4 ; cover charge $ 5-10* 🚻 *en terrasse* 🎵 ⚹

Dragonfly accueille la crème du rock alternatif - des interprètes du calibre de Stone Temple Pilots, Rage Against the Machine, Alanis Morisette et Ice T. y font leur apparition. Les DJ, quant à eux, passent du funk au hip hop, et de la house au disco. Quatre bars et un patio extérieur encerclent la vaste scène et piste de danse. Un night-club sans chichis où l'on se frotte à l'élite d'Hollywood venue se défouler.

Vynyl (43)
1650 N. Schrader Blvd, Hollywood, CA 90028 ☎ 323/465-7449

(Hollywood Blvd) 🅿�}🖥🕐 *variables* ● *$ 5-6 ; cover charge $ 10-25* 🎵

Le Vynyl, fondé par Mark Smith, copropriétaire du populaire North ➡ 68 and Three of Clubs ➡ 70, a ouvert ces nouvelles portes au cœur même d'Hollywood. Jadis centre de télémarketing pour Frederick's of Hollywood ➡ 132, il a été restructuré et comporte aujourd'hui un bar et une belle et grande salle de style loft new-yorkais. Des formations comme Sheryl Crow, Basement Jaxx et Afro-Celt Sound System, aussi prisées des critiques que populaires auprès du public, y font danser une clientèle de jeunes parmi lesquels se glissent des membres de l'industrie musicale.

The Conga Room (45)
5364 Wilshire Blvd, Los Angeles, CA 90036 ☎ 323/938-1696

(La Brea Ave) 🅿�}🍴🖥🕐 *jeu. 18h00-1h00 ; ven.-sam. 18h00-1h30* ● *$ 7 ; cover charge $ 10-25* 🚻 *en terrasse* 🍴 *La Bocca* 🎵

L'un des meilleurs clubs de musique latino, The Conga Room reflète l'intérêt croissant des habitants de Los Angeles pour la cuisine et les rythmes afro-cubains. Des artistes comme Celia Cruz et Pancho Sanchez et de nombreux orchestres de house et de salsa ont honoré ses planches. Les soirées attirent une clientèle ultrachic et survoltée, dans un cadre chaleureux et tropical. Une tenue soignée et des chaussures de danse sont recommandées. Leçons de salsa le jeudi soir.

Sans oublier

■ **Troubadour** (46) 9081 Santa Monica Boulevard, West Hollywood, CA 90068 ☎ 310/276-6168 *Si seulement les planches pouvaient raconter l'histoire du Troubadour depuis les années 60… Ce rendez-vous populaire, créé par Dough Weston, demeure l'une des meilleures adresses pour assister à des concerts de rock alternatif, mais dans un cadre un peu plus intime qu'une grande salle de concert.* ■ **The Derby** (47) 4500 Los Feliz Boulevard, Los Feliz, CA 90027 ☎ 323/663-8979 *Vaste et élégant avec un énorme bar circulaire, The Derby est un classique hollywoodien où l'on swingue à l'orchestre comme sur la piste. Leçons de danse possibles.* ■ **The Gig** (48) 7302 Melrose Ave, Hollywood, CA 90046 ☎ 323/936-4440 *Des artistes du cru et des talents prometteurs jouent dans ce club sans prétention qui se partage entre deux adresses.* ■ **Spaceland** (48) 1717 Silver Lake Blvd, Silverlake, CA 90026 ☎ 323/413-4442 *Un intérieur funky et un public éclectique caractérisent cet établissement du bohème Silverlake. Entrée très souvent gratuite le lundi.*

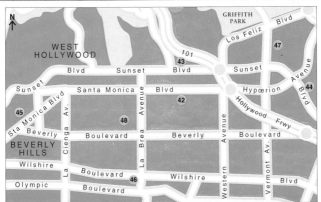

47

43

Quoique sur le déclin depuis quelques années, Los Angeles se targue toujours de programmer le meilleur du jazz et du blues. Certains lieux sont des bars un peu miteux situés dans des quartiers excentrés, d'autres sont beaucoup plus élégants et exigent une tenue vestimentaire correcte. Dans tous les cas, il faut s'acquitter d'un *cover charge* à l'entrée.

Sortir

Catalina Bar & Grill (49)
1640 Cahuenga Boulevard, Hollywood, CA 90028 ☎ 323/466-2210

(Hollywood Blvd) 🅿 🔲 🕐 *tlj. 21h00-2h00* ● *$ 4-7 ; **cover charge** $ 15-25* 🍴 🎵

Cette cantine élégante et haut de gamme invite, six soirs par semaine, les meilleurs musiciens de jazz. Le Catalina Bar & Grill, à l'instar du Jazz Bakery (ci-dessous), est le rendez-vous des interprètes de haut niveau, ce qui explique la pratique de prix élevés. La salle à manger récemment rénovée est dotée d'un éclairage et d'une sono de pointe et il n'est pas rare de croiser dans la foule une ou deux célébrités.

Harvelle's (50)
1432 Fourth Street, Santa Monica, CA 90401 ☎ 310/395-1676

(Broadway Blvd) 🅿 🔲 🕐 *tlj. 20h00-2h00* ● *$ 3,50 ; **cover charge** dim.-jeu. $ 3, ven.-sam. $ 5-8* 🎵

Douillet, amical, généralement bondé, ce club a pour spécialité un *blues* des familles authentique et sans prétention, une exception quasi incongrue au cœur de Santa Monica. On est sûr d'y passer un bon moment et d'y faire une expérience originale : écouter du bon blues dans une atmosphère vierge de toute fumée de cigarette. Harvelle's, à l'origine un club de jazz-restaurant, existe depuis 1931, ce qui, à Los Angeles, confine à l'éternité !

Babe & Ricky's Inn (51)
4339 Leimert Boulevard, Los Angeles, CA 90008 ☎ 323/295-9112

(Leimert Park) 🚻 🔲 🕐 *lun., mer.-dim. 18h00- 1h30* ● *$ 3-5 ; **cover charge** $ 5* 🍴 *tlj. 18h00-22h00* 🎵

Ce club de *blues*, l'un des plus vieux de L.A., est au coude à coude avec les nombreux restaurants, clubs et cafés de Leimert Park qui sont ouverts tard le soir, l'épicentre de la renaissance noire à Los Angeles. Ses murs sont placardés d'innombrables photos d'interprètes, obscurs ou légendaires. Le dimanche et le lundi, la maison pratique le micro libre, l'occasion idéale offerte aux excellents musiciens qui n'hésitent pas à venir faire un bœuf. Pour une expérience hors du commun, cette adresse est le must absolu.

Sans oublier

■ **B.B. King's (52)** 1000 Universal Center Drive, Universal City, CA 91608 ☎ 818/622-5464 *Du blues classique au cœur de l'Universal City Walk.* ■ **Rocco (53)** 2930 Beverly Glen Circle, Bel-Air, CA 90077 ☎ 310/475-9807 *Savourez un jazz de premier ordre dans ce restaurant élégant, un peu à l'écart des circuits traditionnels.* ■ **The Mint (54)** 6010 Pico Boulevard, Los Angeles, CA 90035 ☎ 323/954-9630 *Des musiciens de blues et de jazz renommés se produisent tous les soirs dans le cadre intime de ce bar-restaurant.* ■ **Jazz Bakery (55)** 3233 Helms Avenue, Culver City, CA 90232 ☎ 310/475-9807 *Vous ne pourrez vous enivrer que de musique (pas d'alcool) dans ce rendez-vous des puristes. Le Jazz Bakery accueille les plus grands noms du jazz.* ■ **5th Street Dick's (56)** 3347 1/2 W. 43rd Place, Los Angeles, CA 90008 ☎ 323/296-3970 *Ce minuscule club de Leimert Park programme des artistes confirmés ou débutants, adeptes d'une musique radicale.*

N

52
53
WEST HOLLYWOOD 49
BEVERLY HILLS
405
SANTA-MONICA
54
55
50
187
CULVER CITY
51 56
10

49

CATALINA
Bar & Grill

50

HOME OF THE
BLUES
IVE MUSIC

51

Hollywood, le Westside et le Sunset Strip abritent les meilleures discothèques de Los Angeles. Tous les jours, la musique, la clientèle, la tenue et les horaires varient du tout au tout selon les organisateurs. Téléphonez à l'avance pour connaître les programmes et vérifier les horaires, ou consultez le journal gratuit *L.A. Weekly* (tous les jeudis).

Sortir

Garden of Eden (57)
7080 Hollywood Blvd, Hollywood, CA 90028 ☎ 323/465-3336

(La Brea Ave) 🅿 🈲 🍴 ▭ 🕐 *mer.-jeu. 22h00-2h00 ; ven.-dim. 21h00-2h00* ● *$ 7-8 ;* **cover charge** *$ 15* 📶 *en terrasse* ✳

Son petit air marocain lui vient de ses meubles en fausse peluche et de son décor surchargé. La musique est un mélange de funk, de hip hop et de groove. Des divans profonds et des radiateurs contribuent au confort du très agréable patio. Arrivez de bonne heure et habillez-vous si vous souhaitez raccourcir l'attente à la porte. Attention aux soirées privées !

Club 7969 (58)
7969 Santa Monica Blvd, West Hollywood, CA 90069 ☎ 323/654-0280

(Laurel Ave) 🅿 🕐 *tlj. 21h00-2h00* ● *$ 5 ;* **cover charge** *$ 10*

Situé au cœur du quartier gay, sa clientèle change d'une nuit à l'autre, les homosexuels succédant aux hétéros et aux transexuels, avec parfois des mélanges de genres. Même une revue topless pour les femmes y est programmée ! Essayer le samedi soir, jour du Sin-a-Matic, un club fétichiste animé par des go-go girls et boys très légèrement vêtus. Mais les véritables stars du lieu sont la musique et les DJ de renommée internationale qui produisent des rafales de sons techno, alternatifs et industriels.

The Playroom (59)
836 N. Highland Avenue, Hollywood, CA 90028 ☎ 323/460-6630

(Willoughby Ave) 🕐 *lun., jeu.-ven. 22h00-3h00 ; sam. 21h00-9h00* ● *$ 5-7 ;* **cover charge** *$ 10-15*

The Playroom, ancien Probe, s'est vêtu tout de pourpre et de noir. Il possède une vaste scène et piste de danse ainsi qu'un bar et une salle pour les VIP à l'étage. La musique change selon la soirée, allant du rock glamour aux rythmes des années 80. Le samedi est réservé aux "garçons".

Louis XIV (60)
606 N. La Brea Avenue, Hollywood, CA 90036 ☎ 323/934-5102

(Melrose Ave) 🈲 ▭ 🕐 *tlj. 18h00-2h00* ● *$ 6* 🍴 📶 *en terrasse* ✳

La clientèle cosmopolite s'embrasse et s'enlace, dîne et danse aux sons sélectionnés par les DJ maison, The Buds Brothers, qui dominent la situation depuis la mezzanine. Ces derniers invitent à leur *Monday Social* hebdomadaire des maîtres du mixage venus du monde entier, tandis qu'une foule transpirante remplit le minuscule bar à l'étage.

Sans oublier

■ **Voodoo (61)** 4120 Olympic Blvd, Los Angeles, CA 90019 ☎ 323/930-9600 *Ce club un peu à l'écart des classiques du genre se trouve à Koreatown, au sud de Hancock Park. La salle principale au plafond blanc évoque le temple d'Indiana Jones revu par un prêtre vaudou. À l'étage, d'intimes salles pour VIP. La musique, selon la soirée, va des jam sessions aux rythmes latinos, house et hip hop.* ■ **The Gate (62)** 643 N. La Cienaga Blvd, West Hollywood, CA 90069 ☎ 310/289-8808 *Tenue de soirée de rigueur dans ce night-club élégant et haut de gamme.* ■ **Club Lingerie (63)** 6505 W. Sunset Blvd, Hollywood, CA 90038 ☎ 323/466-8557 *Ce confortable établissement de style discothèque est divisé en trois zones, chacune consacrée à un type de musique.*

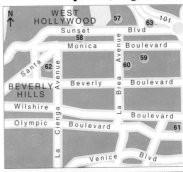

Émissions télévisées

Pour assister à l'enregistrement d'une émission, écrivez à :
Audiences Unlimited *100 Universal City Plaza, Bldg 153, Universal City, CA 91608* ☎ *818/506-0067*

Vous pouvez aussi réserver en appelant directement les studios.
CBS-TV ☎ *323/852-2458*
NBC-TV ☎ *818/840-3537*
Paramount Pictures ☎ *323/956-5575*

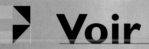

Voir

Downtown L.A.

Découverte pédestre des innombrables et surprenants attraits de Downtown L.A. Choisissez parmi 11 visites thématiques guidées. Réservation exigée.
L.A. Conservancy Tours
☎ *213-621-2489*
🕐 sam. 10h00
● $8

Festivals

Des centaines de manifestations culturelles, ethniques ou artistiques ont lieu tout au long de l'année. Consultez le *LA Weekly* ou le *Los Angeles Times* pour connaître les détails ou contactez le
L.A. Convention & Visitors Bureau ☎ *213/689-8822*
Quelques dates :
1ᵉʳ jan. Tournament of the Roses à Pasadena ☎ *818/419-7673*
Dernier week-end de juil. Malibu Art Festival, Malibu ☎ *310/456-9025*
31 oct. Halloween Party, West Hollywood (sur Santa Monica Blvd)

Maisons de stars

Balade de 2 à 4 heures en bus dans Beverly Hills et B Air pour entr'apercevoir l résidences des célébrités.
Trolleywood Tours
☎ *323/469-8184* ● $31
LA Tours
☎ *323/96-6793* ● $42

Los Angeles vu...

...du ciel Survolez Berverly Hills, Hollywood, Downtown à bord d'un hélicoptère et terminez la soirée par un dîner aux chandelles. *HeliUSA* ☎ *310/641-9494* ● *$ 99 / 20 min env. ; $ 129, dîner inclus*

...d'un corbillard Découvrez la face cachée de la Cité des Anges : histoires sordides, morts suspectes ou incongrues. Plus de 80 sites. *Grave Line Tours* ☎ *323/469-4149* ● *$ 44 par "corps" (2h30 env.)*

74 Visites

SÉLECTIONNÉES ET PRÉSENTÉES PAR *VALERIE SUMMERS*

Depuis plus de 2 siècles, Los Angeles déploie sa tentaculaire urbanisation dans un bassin borné de frontières naturelles avec, à l'est, les Chaînes Côtières et, à l'ouest, l'océan Pacifique. La Cité des Anges, capitale mondiale du cinéma et pays de toutes les démesures, offre aux visiteurs un riche patrimoine culturel et architectural qu'il faut prendre le temps de découvrir.

Voir

★ **MALIBU**

Point Dune

Santa Mo

P A C I F I C   O C E A N

| (6) ➡ 88 | (17) ➡ 92 | (24) ➡ 94 | (27) ➡ 96 | (37) ➡ 98 |

JAMES STEW

El Pueblo de Los Angeles ➡ 88
Berceau historique de Los Angeles, ce village hispano-mexicain abrite, sur la très animée Olvera Sreet, la plus ancienne maison de la ville.
Huntington Library ➡ 92
Les trésors du

magnat du rail réunis dans sa somptueuse résidence : livres et manuscrits rares, peintures anglaises et 15 jardins.
Griffith Observatory ➡ 94
Édifié sur Mount Hollywood, dans le plus grand parc

urbain des États-Unis, l'observatoire domine la ville depuis 1935. Vue exceptionnelle sur L.A. et le signe "Hollywood".
Universal Studios ➡ 96
Voyage en technicolor dans le monde magique du septième art. Quelque

500 décors et simulations de catastrophes pour frissons garantis.
Walk of Fame ➡ 98
Sur Hollywood Boulevard, plus de 2 000 *stars* de marbre constellent la "promenade des célébrités" du monde de l'*entertainment*.

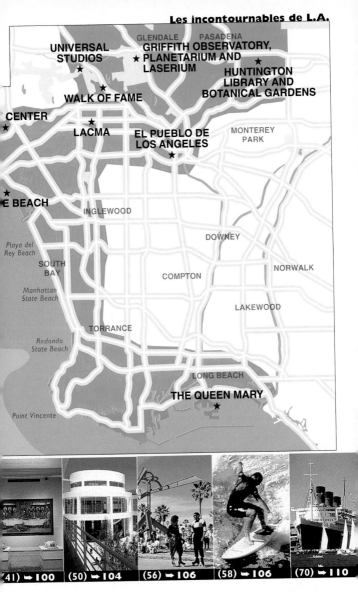

GLENDALE PASADENA

UNIVERSAL
STUDIOS ★
★

GRIFFITH OBSERVATORY,
★ PLANETARIUM AND
LASERIUM
★
HUNTINGTON
LIBRARY AND
BOTANICAL GARDENS

★
WALK OF FAME

CENTER
★
★
LACMA
★
EL PUEBLO DE
LOS ANGELES
★

MONTEREY
PARK

★
E BEACH

INGLEWOOD

Playa del
Rey Beach

DOWNEY

SOUTH
BAY

NORWALK

COMPTON

Manhattan
State Beach

LAKEWOOD

TORRANCE

Redondo
State Beach

LONG BEACH

THE QUEEN MARY
★

Point Vincente

(41) ➡ 100 (50) ➡ 104 (56) ➡ 106 (58) ➡ 106 (70) ➡ 110

**L.A. County
Museum of
Art** ➡ 100
L'un des plus
importants musées
d'art des États-
Unis. Réputé pour
ses collections
de peinture
européenne
(XVIIe-XXe siècle),
d'art islamique,
de sculptures et
d'arts décoratifs.

Getty Center
➡ 104
L'"Acropole
américaine" abrite
la formidable
collection d'art du
magnat du pétrole,
J. Paul Getty.
Venice Beach
➡ 106
Fréquentée depuis
toujours par les
représentants de
la contre-culture

américaine, la cité
balnéaire continue
de véhiculer
l'image cliché
du L.A. à la fois
décontracté,
créatif et décalé.
Malibu ➡ 106
Célèbre pour
son spot de surf
et sa concentration
de résidences de
stars qui lui a valu
le sobriquet de

The Malibu Motion
Picture Colony.
**The Queen
Mary** ➡ 110
Le plus grand
paquebot de luxe
jamais construit
(1934) s'est
définitivement
amarré à Long
Beach en 1967.
Il fait aujourd'hui
office d'hôtel
➡ 34.

Près de là

- **Dormir** : page 16
- **Se restaurer** : pages 38 et 40
- **Sortir** : page 74
- **Acheter** : page 128

➤ Voir

Union Station (1)
100 N. Alameda Street, Los Angeles, CA 90012 ☎ 213/683-6875

Dernière des grandes gares ferroviaires d'Amérique construite en 1939. Les couloirs voûtés, la magnifique salle d'attente au plafond à caissons, les sombres et lourds fauteuils de chêne lui confèrent une élégance majestueuse. Une incursion romantique dans la belle époque des voyages.

Wells Fargo History Museum (2)
333 S. Grand Avenue, Los Angeles, CA 90071 ☎ 213/253-7166

(3rd St.) 🕙 *lun.-ven. 9h00-17h00 ; fermé j. fér.* ● *gratuit*

Ce musée fait revivre la Californie à la passionnante époque de la ruée vers l'or. Vous y découvrirez une diligence Concord de 1897 qui sillonnait jadis les plaines poussiéreuses américaines, une impressionnante collection d'échantillons d'or, et des photos et documents anciens retraçant l'histoire de la Wells Fargo Bank, de sa fondation en 1852 à l'ère de l'électronique.

Museum of Contemporary Art (MoCA) (3)
250 S. Grand Avenue, Los Angeles, CA 90012 ☎ 213/626-6222

(2nd St.) 🅿 ⊟ 🕙 *mar.-mer., ven.-dim. 11h00-17h00 ; jeu. 11h00-20h00 ; fermé Thanksgiving, Noël, Nouvel An* ● *$ 6 ; - 12 ans, + 60 ans $ 4* ▦

L'Orient rencontre l'Occident dans ce saisissant édifice conçu par l'architecte japonais Irata Isozaki. Les salles, principalement consacrées à l'art occidental à partir des années 40, accueillent des expositions de peinture, sculpture, arts et traditions populaires, photo, architecture. La collection comprend entre autres des œuvres de Jackson Pollock, R. Rauschenberg, Andy Warhol et Diane Arbus.

Japanese American National Museum (4)
369 E. 1st Street, Los Angeles, CA 90012 ☎ 213/625-0414

(N. Central Ave) 🅿 ⊟ 🕙 *dim., mar.-mer., ven.-sam. 10h00-17h00 ; jeu. 10h00-20h00* ● *$ 6 ; - 17 ans $ 3 ; + 60 ans $ 5* ▦

Le premier musée dont la vocation est de préserver l'héritage et l'identité culturelle des Américains d'origine japonaise. Sa collection de plus de 30 000 pièces comprend des objets d'artisanat, des peintures, des photos, des films, des tissus et des témoignages oraux enregistrés.

Sans oublier

■ **Museum of Neon Art (5)** 501 W. Olympic Blvd, Los Angeles, CA 90015 ☎ 213/489-9918 *Ce musée unique retrace l'histoire du néon sous toutes ses formes.* ■ **Avila Adobe House (6)** El Pueblo de Los Angeles, 10 Olvera St., Los Angeles, CA 90012 ☎ 213/628-1274 *C'est sur le site de la première colonie de Los Angeles, fondée en 1781, que se trouve cette masure construite en 1838.* ■ **L.A. Children Museum (7)** 310 N. Main St., Los Angeles, CA 90012 ☎ 213/687-8801 *Un univers interactif où les enfants s'initient aux arts et aux sciences à travers des jeux.* ■ **Bradbury Building (8)** 304 S. Broadway, Los Angeles, CA 90012 ☎ 213/626-1893 *Derrière sa sobre façade de brique se cache le plus bel intérieur de L.A. Les bureaux sont disposés autour de l'atrium bordé de ferronneries ouvragées, lui-même surmonté d'une verrière.* ■ **Angel Flight (9)** 351 S. Hill St., Los Angeles, CA 90012 *Le plus court des trains à crémaillère permet de gravir pour ¢ 25 la colline de Bunker Hill.*

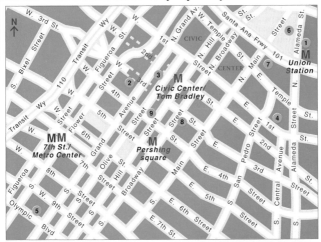

En 1781, des missionnaires fondèrent la ville d'*El Pueblo de Nuestro Señora la Reina de Los Angeles del Río Porciúncula* sur le site actuel d'El

Pueblo de Los Angeles Historical Monument. Aujourdhui, le Downtown de Los Angeles s'est agrandi et consiste en un centre administratif et financier. Il renferme néanmoins quantité d'attractions culturelles et architecturales que l'on peut découvrir.

Près de là

▪▶ **Dormir** : page 16
▪▶ **Se restaurer** : pages 38 et 40
▪▶ **Sortir** : page 74
▪▶ **Acheter** : page 128

Voir

The Natural History Museum of L.A. County (10)
900 Exposition Boulevard, Los Angeles, CA 90007 ☎ 213/763-3466

(Vermont Ave) ▣ ◷ *lun.-ven. 9h30-17h00 ; sam.-dim.10h00-17h00 ; fermé vac.*
● *$ 8 ;- 5 ans gratuit ; - 12 ans $ 2 ; étudiants, + 60 ans $ 5,50* ▣ ▦

Les ombres de *Jurassic Park* hantent ce bâtiment de style Spanish Revival
(1913), le plus vaste musée de ce type dans l'Ouest américain, où l'on
verra, entre autres, s'affronter dans le foyer le Tyrannosaurus Rex et le
Tricératops. Organisé autour de trois thèmes (Sciences de la vie,
Sciences de la terre et Histoire), le musée abrite plus de 33 millions
de spécimens et d'objets artisanaux. Les expositions portent sur les
cultures, les mammifères, les dinosaures et les insectes, mais on peut
aussi admirer dans la salle des pierres précieuses et des minéraux - plus
de 2 000 pièces dont une émeraude de 212 carats. Pour les plus jeunes,
le Discovery Center est un espace interactif qui leur permet d'aller à
la pêche aux fossiles et d'observer des peaux et des crânes d'animaux !

California African American Museum (11)
Exposition Park, 600 State Drive, Los Angeles, CA 90037 ☎ 213/744-7432

(S. Figueroa St.) ▣ *$ 3* ▣ ◷ *mar.-dim. 10h00-17h00* ● *gratuit* ▦

Terminé juste à temps pour l'Olympic Art Festival de 1984, ce musée
de l'Art africain et afro-américain met l'accent sur l'art postérieur
à 1930 (Harlem Renaissance), sur les paysagistes du XIXᵉ siècle, sur
la sculpture et la photo, et présente des sujets multimédia. Hormis les
nombreuses expositions temporaires, vous pourrez découvrir parmi la
collection permanente des figurines de la fertilité, des statues funéraires
ou encore des masques et des robes d'apparat.

California Science Center (12)
Exposition Park, 700 State Drive, Los Angeles, CA 90037 ☎ 213/744-7400

(S. Figueroa St.) ▣ *$ 5* ▣ ◷ *musée tlj. 10h00-17h00 ; fermé Thanksgiving, Noël
et nouvel an* ● *gratuit* ◷ *IMAX variables* ● *$ 6,50 ; - 12 ans $ 3,75 ; étudiants,
+ 60 ans $ 5 (+ $ 1 pour films 3D)* ▣ ▦

Ce musée de la technologie et des sciences appliquées présente de
passionnantes expositions interactives. Rencontrez Tess, la créature
technologique des Body Works haute de 11 m. Elle vous aidera à
comprendre le fonctionnement du corps humain. Explorez les mystères
de la gravité en empruntant une bicyclette montée sur un fil de
funambule ; construisez une structure et soumettez-la à un tremblement
de terre afin de constater les dégâts de visu ; admirez les avions de
combat, les vaisseaux spatiaux et le planeur des années 20 exposés dans
Aerospace Hall. Et enfin, pour clore en beauté cette incursion dans
le monde de la connaissance, immergez-vous dans des films éducatifs
en deux ou trois dimensions, projetés sur un écran IMAX géant.

Sans oublier

■ **Fisher's Gallery (13)** University of South California, 823 Exposition
Blvd, Los Angeles, CA 90089 ☎ 213/740-4561 *Ce petit bijou muséographique
fut fondé en 1939 grâce au legs d'Elizabeth Holmes Fisher. Il abrite des œuvres
de maîtres européens et américains du XVᵉ siècle à nos jours. Entrée gratuite.*

À l'écart du turbulent centre financier et administratif, l'University of South California (USC) et Exposition Park offrent une oasis de verdure à ce quartier à la fois commercial et résidentiel. Ici, les sciences, l'art et l'histoire naturelle se taillent la part du lion dans cet ensemble muséographique, l'un des plus foisonnants de Los Angeles, séparé du campus de l'USC par les célèbres Rose Gardens d'Exposition Park. Tout près de là s'élève le L.A. Memorial Coliseum, construit en 1923. Port d'attache des Trojan, le club de football de l'université, il a accueilli les Jeux olympiques de 1932 et 1984.

10

10

Près de là

- **Dormir :** page 18
- **Se restaurer :** pages 42 et 56
- **Sortir :** page 78
- **Acheter :** page 130

Voir

Gamble House (14)
4 Westmoreland Place, Pasadena, CA 91103 ☎ 626/793-3334

(N. Orange Grove) 🅿 🕐 *jeu.-dim. 12h00-15h00* 🎫 *ttes les 20 min ● $ 5 ; - 12 ans gratuit ; étudiants $ 3 ; + 60 ans $ 4* 🏪 *mar.-sam. 10h00-17h00 ; dim. 11h30-17h00*

En 1908, le plus célèbre duo d'architectes de Pasadena, Greene et Greene, construit cette maison, considérée comme le plus bel exemple du style Craftsman, pour David et Mary Gamble, héritiers de l'empire Procter & Gamble. La demeure a conservé son mobilier original, ses bois exotiques, ses fenêtres serties de plomb et sa porte ornée d'un vitrail de Tiffany.

Pasadena Historical Museum (15)
470 W. Walnut Street, Pasadena, CA 91103 ☎ 626/577-1660

(3ʳᵈ St.) 🕐 *jeu.-dim. 13h00-16h00 ; fermé j. fér. ● $ 4 ; - 12 ans gratuit ; étudiants, + 60 ans $ 3* 🎫 *13h00, 14h00, 15h00* 🏪

L'ancien domaine de la famille Feynes comprend le History Center Building, la Feynes Mansion, vaste demeure de style Beaux-Arts (1905), et un musée d'Art populaire finlandais, le Finnish Folk Art Museum. Le centre d'histoire abrite plus d'un million de photos, des livres, des cartes, des archives architecturales et des collections relatives au Tournament of Roses annuel.

Norton Simon Museum (16)
411 W. Colorado Boulevard, Pasadena, CA 91105 ☎ 626/449-6840

(Orange Grove) 🕐 *mer.-jeu., sam.-dim. 12h00-18h00 ; ven. 12h00-21h00 ; fermé Thanksgiving, Noël, nouvel an ● $ 6 ; étudiants, - 18 ans gratuit ; + 60 ans $ 3*

Ce musée retrace sept siècles d'art européen. Il tire une grande fierté de sa collection d'impressionnistes et de post-impressionnistes, mais il abrite aussi des œuvres de Rembrandt, Goya, Picasso, Feininger, Kandinsky, Klee et Jawlensky. Plus de 600 pièces issues d'une collection d'art asiatique sont présentées dans 14 autres salles et un jardin de sculptures.

Huntington Library & Botanical Gardens (17)
1151 Oxford Road, San Marino, CA 91108 ☎ 626/405-2100

(Orlando Rd) 🕐 *mar.-ven. 12h00-16h30 ; sam.-dim. 10h30-16h30 ; fermé vac. ● $ 8,50 ; - 12 ans gratuit ; étudiants $ 6 ; + 60 ans $ 8* 🍴 🏪

Ce complexe culturel aux multiples facettes est installé dans la demeure du magnat du rail Henry E. Huntington. La bibliothèque compte plus de 600 000 livres, dont une bible de Gutenberg (v. 1450), *The Birds of America* de John Audubon et des éditions de Shakespeare. La Gallery présente parmi d'autres œuvres le célèbre *Blue Boy*, de Gainsborough (1770), et *Pinkie*, de Lawrence (1794). Découvrez le parc et ses jardins formels (désertique, japonais, de Shakespeare) et réservez pour le *5 o'clock tea.*

Sans oublier

■ **Pacific Asian Museum (18)** 46 N. Los Robles Avenue, Pasadena, CA 91103 ☎ 626/449-2742 *La collection d'art chinois de Grace Nicholson est conservée dans ce musée de style pagode.* ■ **City Hall (19)** 100 N. Garfield Ave, Pasadena, CA 91103 *Cet édifice de 1927 est un très bel exemple de l'architecture palladienne.* ■ **Wrigley Mansion (20)** 391 Orange Grove Blvd, Pasadena, CA 91184 ☎ 626/449-4100 *La demeure (1906) du roi du chewing-gum William Wrigley Jr. abrite l'association du Tournament of Roses. Visite fév.-août.*

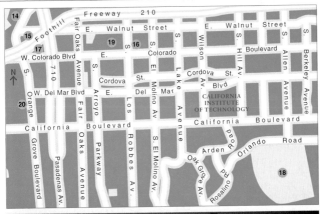

Célèbre pour son *Tournament of Roses*, un concours de chars fleuris, Pasadena a gardé le charme et le raffinement du temps jadis. Ses jardins et ses musées éclectiques offrent l'occasion de multiples explorations culturelles et botaniques.

16

Ce parc urbain de 2 000 ha, le plus vaste des États-Unis, faisait partie à l'origine d'une concession espagnole, le Rancho Los Feliz. Il a reçu le nom de son donateur, le colonel Griffith, un émigrant gallois enrichi par la ruée vers l'or. Pour connaître les activités du parc, renseignez-vous auprès du **Griffith Park Ranger Station** *4730 Crystal Springs Dr.* ☎ *323/665-5188.*

Voir

Travel Town (21)
5200 W. Zoo Drive, Los Angeles, CA 90027 ☎ 323/662-5874

(Frwy 134) **P** *lun.-ven. 10h00-16h00 ; sam.-dim.10h00-17h00 ; fermé Noël* ● *gratuit* *sur réservation* ☎ *323/662-5874*

Une aire de jeux où les enfants peuvent grimper sur des trains, comprendre leur fonctionnement, voire même les conduire. Cette importante collection retrace l'histoire des transports ferroviaires de l'Ouest depuis 1864.

Los Angeles Zoo (22)
5333 Zoo Drive, Los Angeles, CA 90027 ☎ 323/644-6400

(Crystal Springs Dr.) **MTA 96 P** *tlj. 10h00-17h00 ; fermé Noël* ● *$ 8,25 ; - 12 ans $ 3,25 ; + 60 ans $ 5,25*

Ce zoo de 56 ha met en scène dans des habitats parfaitement reconstitués plus de 1 200 animaux en provenance de quatre continents - Amérique du Sud et du Nord, Afrique, Australie et Eurasie. La maison du koala, celle des reptiles et la récente forêt tropicale du grand singe permettent de découvrir ou de redécouvrir de nombreuses créatures exotiques.

Autry Museum of Western Heritage (23)
4700 Western Heritage Dr., Los Angeles, CA 90027 ☎ 323/667-2000

(Zoo Dr.) **MTA 96 P** *mar.-dim. 10h00-17h00 ; fermé Thanksgiving, Noël* ● *$ 7,50 ; - 12 ans $ 3 ; étudiants, + 60 ans $ 5* *sur réservation*

Ce musée d'histoire haut en couleur rend hommage à l'Ouest américain, retraçant son épopée depuis ses racines indiennes, les *vaqueros* (premiers cow-boys), les pionniers et les chercheurs d'or. Le mythe du western créé par Hollywood y est aussi relaté à travers ses innombrables films tels que *Le train sifflera trois fois, Bonanza* ou *Danse avec les loups*. Plus de 50 000 pièces constituent la très belle collection : archives, tableaux de maîtres comme John Cast ou Thomas Moran, objets d'art populaire ou d'artisanat...

Griffith Observatory, Planetarium & Laserium (24)
2800 E. Observatory Road, Los Angeles, CA 90027 ☎ 323/664-1191

LC203 **P** *Observatory et Science Center sept.-mai : mar.-ven. 14h00-22h00 ; sam.-dim. 12h30-22h00 / juin-août : tlj. 12h30-22h00 ; fermé Columbus Day, Thanksgiving, Noël* ● *gratuit* *Planetarium sept.-mai : mar.-ven. 15h00, 19h30 ; sam.-dim. 13h30, 15h00, 16h30, 19h30 / juin-août : lun.-ven. 13h30, 15h00, 19h30 ; sam.-dim. 13h30, 15h00, 16h40, 19h30* ● *$ 4 ; - 12 ans $ 2 ; + 65 ans $ 3* *Laserium variables* ● *$ 8 ; - 12 ans, + 65 ans $ 7*

Un téléscope, des maquettes de globes, de météorites, de vaisseaux spatiaux et un sismographe mesurant les incessants mouvements telluriques de la faille de San Andreas font de ce complexe astronomique un véritable espace pédagogique. Le Laserium et le Planetarium organisent des spectacles.

Sans oublier

■ **Forest Lawn Hollywood Hills (25)** *6300 Forest Lawn Dr., Los Angeles, CA 90068 Ce cimetière possède la plus grande mosaïque historique des États-Unis, Birth of Liberty. Visitez aussi celui de Glendale.* ■ **Hollywood Sign (26)** *Érigées sur Mount Lee en 1923, les neuf lettres mythiques étaient treize à l'origine et vantaient le projet immobilier d'"Hollywoodland". Empruntez Mount Lee Dr. pour vous en approcher, mais c'est depuis l'observatoire qu'on les voit le mieux.*

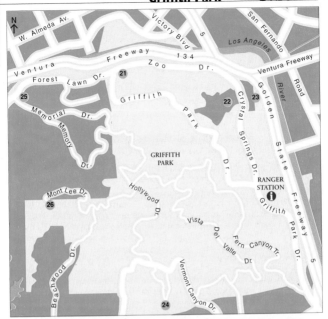

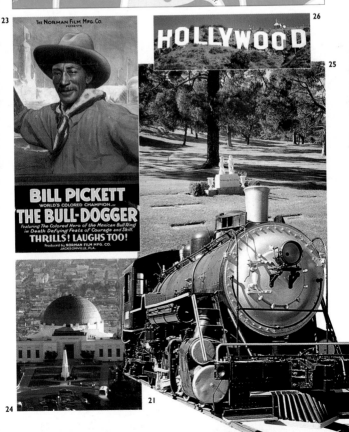

Hollywood est depuis toujours synonyme de cinéma, même si elle n'abrite plus aujourd'hui qu'un seul studio. Il est possible d'arpenter ces usines à rêves grâce à un choix de visites guidées allant de la découverte du géant Universal Studios et de son titanesque parc à thèmes, à la visite beaucoup plus personnalisée de la Warner Bros ou de la Paramount.

▶ Voir

Universal Studios Tour (27)
100 Universal City Plaza, Universal City, CA 91608 ☎ 818/508-9600

(Fwy 101) **P** **◐** *tlj. : été 10h00-22h00 ; hiver : 10h00-19h00 ; fermé Thanksgiving, Noël ●* $39 *; -12 ans* $29 *; +60 ans* $34 **◙** ▦ *Universal City Walk ➥ 126*

En 1915, le public payait déjà ¢25 pour assister au tournage d'un film. Aujourd'hui, on découvre le studio le plus productif du monde depuis les coulisses. Troisième attraction touristique du pays, le Blacklot Tour voyage à travers les catastrophes cinématographiques, de *King Kong* aux *Dents de la mer* en passant par la maison de Norman Bates dans *Psychose*. Plus de 500 décors extérieurs et façades reconstituées transportent le visiteur dans l'Ouest légendaire, à New York et en Europe, tandis que des visites et des mises en scène interactives vous entraînent dans *Jurassic Park* et dans l'univers de *Terminator 2*, de *Retour vers le futur* et de *Backdraft*. La balade en tramway vous offrira une vision panoramique de ce gigantesque ensemble.

Warner Bros VIP Tour (28)
4000 Warner Boulevard, Burbank, CA 91522 ☎ 818/954-1744

(W. Olive Ave) **P** **◐** *lun.-ven. 9h00-15h00* ▦ *été : sam. 10h00, 14h00 ●* $30

Cette visite personnalisée à pied et en voiturette offre une incursion très instructive dans le monde du cinéma. En chemin, on peut voir l'une des plus grandes garde-robes du monde, des décors extérieurs, des studios de tournage, de sonorisation et des salles d'accessoires. Résumant 75 ans de cinéma, le musée renferme de multiples objets utilisés dans de grands classiques du septième art. Attention, interdit aux moins de 8 ans !

Sony Pictures Studio Tour (28)
10202 W. Washington Blvd, Culver City, CA 90232 ☎ 323/520-8687

(Overland Ave) **P** **◐** *lun.-ven. 9h00-17h00 ; fermé vac. ●* $20

Un regard sur les grandes heures du Hollywood d'hier et de demain. La visite guidée vous entraîne sur les plateaux des films et des séries en tournage, à la découverte d'innovations techniques quasiment futuristes,

et vous permet aussi d'admirer les décors de *Jeopardy*, celui où les *Men in black* vainquirent les aliens, et la légendaire Yellow Brick Road du *Magicien d'Oz*. Et, au hasard d'une scène de décor, vous aurez peut-être la chance d'apercevoir votre acteur favori.

Paramount Pictures Studios (29)
5555 Melrose Avenue, Hollywood, CA 90046 ☎ 323/956-1777

(N. Van Ness Ave) **P** ⚘ *lun.-ven. 9h00-14h00 ; fermé vac.* ● *$ 20*

L'unique studio hollywoodien, à proprement parler. La grille majestueuse située à l'angle de Bronson Avenue s'est inscrite dans l'histoire du cinéma lorsque Gloria Swanson l'a franchie dans le film *Sunset Boulevard* (1950). Pendant deux heures, les guides vous entraînent (en petits groupes réservés aux plus de 10 ans) sur les plateaux de ce studio historique.

Sans oublier

▓ **NBC Studio Tour (30)** 3000 W. Alameda Ave, Burbank, CA 91523 ☎ 818/840-3537 *Une visite de 70 min. qui permet de découvrir de l'intérieur l'univers de la télévision. L'entrée aux spectacles enregistrés en public est gratuite, mais les tickets doivent être retirés à l'avance. Boutique de souvenirs.*

Près de là
- **Dormir :** page 20
- **Se restaurer :** page 44
- **Sortir :** pages 68, 70, 74, 76, 78 et 80
- **Acheter :** pages 132 et 134

Voir

Edmund D. Edelman Hollywood Bowl Museum (32)
2301 N. Highland Avenue, Los Angeles, CA 90068 ☎ 323/850-2058

(Cahuenga Blvd) **P** *gratuit avant 16h30* **☾** *mar.-sam. 10h00-16h00 (20h30 les soirs de concert)* ● *gratuit* **☐ ☐** *sur réservation* ☎ *323/662-5874* **▦**

Une exploration multimédia de l'histoire du fameux Hollywood Bowl, construit par Frank Lloyd Wright, des origines en 1922 à nos jours.

Hollywood Entertainment Museum (33)
7021 Hollywood Boulevard, Hollywood, CA 90028 ☎ 323/465-7900

(Sycamore St.) **P** **☾** *15 sept.-15 juin : lun.-mar., jeu.-dim. 11h00-16h00 ; 16 juin-14 sept. : tlj. 10h00-16h00* ● *$ 7,50 ; - 12 ans $ 4 ; étudiants, + 65 ans $ 4,50* **▦**

Bienvenue dans l'univers du monde du spectacle hollywoodien. On se retrouve sur le véritable plateau de la sitcom *Cheers*, aux commandes du Starship Entreprise de *Star Trek* et on peut tester ses dons pour le bruitage dans la Foley Room. La visite comprend aussi les salles de décors, d'accessoires, de costumes, d'effets spéciaux et de maquillage.

Mann's Chinese Theater (34)
6925 Hollywood Boulevard, Hollywood, CA 90028 ☎ 323/461-3331

(N. Orchid Dr.) **P** **☾** *cinéma* ➡ 74

Cet édifice de style Chippendale, au décor chinoisant et alambiqué, est un symbole hollywoodien moins connu pour son cinéma que pour sa cour. Depuis 1927, les plus grandes stars laissent l'empreinte de leurs mains et de leurs pieds et inscrivent leur signature dans l'un de ses 205 carrés de ciment. La tradition fut lancée par Norma Talmadge, qui un jour marcha accidentellement sur un trottoir dont le ciment était encore frais.

Hollywood Wax Museum (35)
6767 Hollywood Museum, Hollywood, CA 90028 ☎ 323/462-5991

(Highland Blvd) **☾** *lun.-ven. 10h00-0h00 ; sam.-dim.10h00-1h00* ● *$ 9,95 ; - 12 ans $ 5,95 ; + 65 ans $ 7,95* **▦**

Un musée de cire entièrement consacré au septième art. Scènes de grands classiques tels que *Le Magicien d'Oz* ou *Austin Powers*, statues de cire de vedettes du cinéma, du sport et… de la politique ! Également au programme : une insolite reconstitution de la Cène.

Sans oublier

■ **Ripley's Believe It or Not** (36) 6780 Hollywood Blvd, Hollywood, CA 90028 ☎ 323/466-6335 *Une étonnante collection de curiosités venues du monde entier.* ■ **Walk of Fame** (37) Hollywood Blvd, Hollywood, CA 90028 *Depuis 1958, plus de 2 000 stars ont leur nom et le symbole de leur activité gravés sur des étoiles de cette "promenade des célébrités". Les plus demandées restent celles de Marilyn Monroe (1644 Hollywood Blvd), John Lennon (1750 Vine St.) et Elvis Presley (6777 Hollywood Blvd).* ■ **Hollywood History Museum** (38) 1660 N. Highland, Hollywood, CA 90028 ☎ 323/464-7776 *Ce bijou Art déco abritait jadis les cosmétiques Max Factor. Aujourd'hui, ce musée retrace l'histoire de l'industrie du cinéma et de la télévision et, bien sûr, celle de la marque Max Factor.* ■ **Capitol Records Building** (39) 1750 Vine St., Hollywood, CA 90028 ☎ 323/462-6252 *Cet autre symbole hollywoodien, un bâtiment circulaire (1956) évoquant une pile de disques, n'est autre que le siège d'une maison de disques.*

L'ancienne reine du glamour s'est considérablement dégradée au cours des deux dernières décennies, mais un lifting de plusieurs millions de dollars devrait lui rendre sa splendeur d'antan et ramener dans ses murs la cérémonie des oscars. En attendant, ses attractions kitsch et ses musées du cinéma continuent de fasciner le public. Trace du glorieux passé : le Hollywood Heritage Museum (*2100 N. Highland Ave*) s'est installé dans le tout premier studio.

Près de là

- **Dormir :** pages 20 et 24
- **Se restaurer :** pages 44, 48, 50, 52 et 56
- **Sortir :** pages 68, 76 et 78
- **Acheter :** pages 126, 132, 134, 138 et 140

Voir

George C. Page Museum / La Brea Tar Pits (40)
5801 Wilshire Boulevard, Los Angeles, CA 90036 ☎ 323/857-6311

(S. Curson Ave) 🕐 *lun.-ven. 6h30-17h00 ; sam.-dim.10h00-17h00 ; fermé j. fér., lun. l'été ● $ 6 ; - 10 ans $ 2 ; étudiants, + 60 ans $ 3,50* 🎫 *musée mer.-dim. 14h00 / puits de pétrole mer.-dim. 13h00*

On continue d'exhumer des fossiles des puits de pétrole de La Brea, qui renferment la plus importante concentration de vestiges de l'ère glaciaire connue à ce jour. Des os de félins, de loups et de mammouths sont exposés au Page Museum, où les visiteurs peuvent également observer derrière une vitre le laboratoire de paléontologie. Les Pepper's Ghosts permettent de découvrir le vrai visage de la femme de La Brea et du tigre à dents de sabre, dont les silhouettes ont été reconstituées à partir de leurs squelettes, grâce à des hologrammes et à des jeux de lumière.

Los Angeles County Museum of Art LACMA (41)
5905 Wilshire Boulevard, Los Angeles, CA 90036 ☎ 323/857-6000

(Ogden Dr.) 🅿 🕐 *lun.-mar., jeu. 12h00-20h00 ; ven. 12h00-21h00 ; sam.-dim. 11h00-20h00 ● $ 7 ; - 17 ans $ 1 ; étudiants, + 60 ans $ 5* 🎫

L'un des plus grands complexes muséographiques de Los Angeles recèle quelque 250 000 pièces datant de l'Antiquité à nos jours. Ses six bâtiments se partagent une collection encyclopédique de peintures, de sculptures, de costumes, de tissus et d'objets décoratifs. On verra dans l'Ahmanson Building la plus grande collection d'art indien, népalais et tibétain existante de nos jours. Quant au Pavilion for Japanese Art, il abrite la célèbre collection Shin'enkan, et le nouveau Southwestern Museum présente des objets d'art et d'artisanat indien du sud-ouest des États-Unis.

Petersen Automotive Museum (42)
6060 Wilshire Boulevard, Los Angeles, CA 90036 ☎ 323/930-2277

(Fairfax Ave) 🅿 🕐 *mar.-dim. 10h00-18h00 ; fermé Thanksgiving, Noël, nouvel an ● $ 7 ; - 12 ans $ 3 ; étudiants, + 60 ans $ 5*

Ce musée de l'histoire de l'automobile montre l'importance de la voiture dans la culture et la vie des Angelinos ; l'urbanisation en porte l'empreinte : témoins les *drive-in*, les *malls*, les panneaux publicitaires… Exposés au 1er étage, des véhicules de course et de collection, appartenant ou ayant appartenu à des stars ou aux studios de cinéma.

Carole & Barry Kaye Museum of Miniatures (43)
5900 Wilshire Boulevard, Los Angeles, CA 90036 ☎ 323/937-6464

(Spaulding Ave) 🅿 *$ 4* 🕐 *mar.-sam. 10h00-17h00 ; dim.11h00-17h00 ; fermé Noël, nouvel an ● $ 7,50 ; - 11 ans $ 3 ; - 21 ans $ 5 ; + 60 ans $ 6,50* 🎫

La plus grande collection privée de miniatures du monde fascinera petits et grands. Elle comprend des œuvres de miniaturistes renommés, parmi lesquelles Charlie Chaplin, le Vatican, le *Titanic* et une scène de mariage.

Sans oublier

■ **Craft & Folk Art Museum (44)** 5800 Wilshire Boulevard, Los Angeles, CA 90036 ☎ 323/937-4230 *Des expositions ponctuelles et itinérantes de créations contemporaines - artisanat, design, art populaire et traditionnel.*

Véritable cœur de l'activité commerciale, cette partie de l'interminable Wilshire Boulevard fut surnommée *Miracle Mile* dans les années 30. Le grand nombre de musées de toutes sortes (art, fossiles, automobiles, miniatures) qui s'y trouvent aujourd'hui lui a valu d'être rebaptisée *Museum Row*.

Près de là

- ▪️ **Dormir :** pages 22 et 24
- ▪️ **Se restaurer :** pages 46, 48, 50 et 52
- ▪️ **Sortir :** pages 70 et 72
- ▪️ **Acheter :** pages 126, 140 et 142

Voir

Greystone Mansion (45)
905 Loma Vista Drive, Beverly Hills, CA 90210 ☎ 310/550-4796

(Doheny Rd) 🅿️ 🔲 🕐 *tlj. : oct.-mars 10h00-17h00 ; avr.-sept. 10h00-18h00* ● *gratuit*

Ce manoir Tudor de 55 pièces fut édifié par le magnat du pétrole Edward Doheny, le premier à en avoir découvert à L.A. Il se trouve au milieu d'un parc de 8 ha où se succèdent de luxuriants jardins en terrasses bordés de balustrades, agrémentés de pièces d'eau et de fontaines, avec certaines zones réservées au pique-nique. La maison, fermée au public, a servi de décor à de nombreux films dont *Les Sorcières d'Eastwick* ou *Ghostbusters II.*

Virginia Robinson Gardens (46)
1008 Elden Way, Beverly Hills, CA 90210 ☎ 310/276-5367

(N. Crescent Dr.) 🅿️ 🔲 🕐 *mar.-mer., ven.-dim. 11h00-17h00 ; jeu. 11h00-20h00 ; fermé Thanksgiving, Noël, nouvel an* ● *$ 8 ; étudiants, + 60ans $ 4*

Ce domaine, construit pour les propriétaires des grands magasins J. W. Robinson, a été classé en 1979. Une visite guidée de1h45 permet d'explorer la maison, édifiée dans un style Beaux-Arts approximatif, ainsi que la piscine couverte et le parc paysager de plus de 3 ha, qui comprend cinq jardins : la palmeraie tropicale, la roseraie, la grande allée, le jardin en terrasse, à l'italienne, et un jardin d'herbes médicinales.

Museum of Television & Radio (47)
465 Beverly Drive, Beverly Hills, CA 90210 ☎ 310/786-1000

(S. Santa Monica Blvd) 🔲 🕐 *mer., ven.-dim. 10h00-17h00 ; jeu. 11h00-21h00 ; fermé 4 juil., Thanksgiving, Noël* ● *$ 6 ; - 12 ans $ 3 ; étudiants, + 60 ans $ 4* 🔢

Plus de 100 000 programmes de télévision et de radio accessibles au public sont conservés dans ce musée, conçu par l'architecte Richard Meier. Actualités, documentaires, fictions, publicités, sketches et programmes de sport couvrent plus de 70 ans de l'histoire des médias. Les consoles individuelles vous permettront d'écouter ou de visionner des documents tels que le débat Nixon-Kennedy de 1960, le légendaire match de boxe Ali contre Frazier (1974) ou encore une interview de Marilyn Monroe de 1955. Deux salles de cinéma organisent des séances privées.

Museum of Tolerance (48)
9786 W. Pico Blvd, West Los Angeles, CA 90035 ☎ 310/553-9036

(Roxbury Dr.) 🅿️ 🔲 🕐 *lun.-jeu. 10h00-16h00 ; ven. 10h00-13h00 ; dim. 11h00-17h00 ; fermé j. fér., fêtes juives* ● *$ 8,50 ; - 10 ans $ 3,50 ; étudiants $ 5,50 ; + 60 ans $ 6,50* 🔊 *en langues étrangères* 🔢

Ce musée interactif confronte le visiteur à l'intolérance et au racisme collectifs, et l'oblige à affronter ses propres préjugés. Le point culminant est une grande exposition sur l'Holocauste, replacé dans son contexte historique, mais aussi dans notre époque.

Sans oublier

■ **Museum of Jurassic Technology (49)** 9341 Venice Blvd, Los Angeles, CA 90232 ☎ 310/836-6131 *Une exposition passionnante, éclectique, poétique, présentant de stupéfiantes curiosités naturelles ou purement imaginaires, et dont l'ambition est de faire aimer le Jurassique inférieur.*

45

Sous l'influence des clichés véhiculés
par la presse, les feuilletons et les
films, Beverly Hills est devenu
synonyme de gloire et de fortune.
Il y a en fait peu d'écart entre le
mythe et la réalité : hôtels légendaires,
boutiques de luxe sur Rodeo Drive,
somptueuses demeures dissimulées
derrière des murs de végétation
luxuriante confirment et perpétuent
ce symbole du rêve américain.

47

48

Près de là

■▶ **Dormir :** page 26
■▶ **Se restaurer :** pages 46, 54 et 56
■▶ **Sortir :** page 74
■▶ **Acheter :** page 126

Voir

The J. Paul Getty Museum at the Getty Center (50)
1200 Getty Center Drive, Los Angeles, CA 90049 ☎ 310/440-7360

(Getty Center Dr.) 🚇 561, SM 14 🅿 $ 5 sur réservation 🕐 *mar.-mer. 11h00-19h00 ; jeu.-ven. 11h00-21h00 ; sam.-dim. 10h00-18h00 ; fermé j. fér.* ● *gratuit* 🖥 🏧 ★ ♿

La dernière étoile de la galaxie muséographique de Los Angeles, œuvre de l'architecte Richard Meier, est juchée sur les hauteurs de Santa Monica Mountains, au cœur d'un immense complexe culturel. Quatre des cinq pavillons d'un étage du musée, construits autour d'une cour pavée, abritent les collections permanentes, le cinquième accueillant les expositions temporaires. Le rez-de-chaussée est réservé aux antiquités gréco-romaines, aux manuscrits enluminés, aux sculptures, aux photographies, aux meubles et aux objets décoratifs. Quant aux étages, ils conservent la peinture européenne (XIVe-XIXe siècles), mise en scène par un jeu de lumière naturelle grâce à un judicieux système de verrières orientales. Vous pourrez ainsi admirer les *Iris* (1889) de Van Gogh, la *Jeune Italienne accoudée* de Cézanne et *Vénus et Adonis* de Titien. Vous flânerez dans les jardins, notamment le Central Garden, dont le cœur est un labyrinthe d'azalées qui semble flotter sur une vaste pièce d'eau.

UCLA Fowler Museum of Cultural History (51)
405 Hilgard Avenue, Los Angeles, CA 90024 ☎ 310/825-4361

(Warner Ave) 🅿 $ 5 parkings 4 et 5 du campus 🕐 *mer., ven.-dim. 12h00-17h00 ; jeu. 12h00-20h00* ● *$ 5 ; étudiants, + 60 ans $ 3* 🏧

Considéré comme l'un des meilleurs musées universitaires d'anthropologie du pays, ce musée compte plus de 750 000 objets culturels, contemporains, historiques et préhistoriques. Provenant des cinq continents, avec une forte représentation de l'Afrique, la collection comprend aussi bien des armes que des bijoux en passant par la statuaire et les instruments de musique.

Armand Hammer Museum of Art (53)
10899 Wilshire Boulevard, Westwood, CA 90024 ☎ 310/443-7000

(Westwood Blvd) 🅿 $ 2,75 ▭ 🕐 *mar.-mer., ven.-sam. 11h00-19h00 ; jeu. 11h00-21h00 ; dim. 11h00-17h00 ; fermé 4 juil., Thanksgiving, Noël, nouvel an* ● *$ 4,50 ; - 17 ans gratuit ; étudiants, + 60 ans $ 3* 🖥 🏧

C'est ici qu'est exposée la troisième collection de Hammer, riche d'une centaine de toiles parmi lesquelles figurent des œuvres de Rembrandt, Van Gogh, Monet et Sargent. À ne pas manquer : les quelque 7 000 dessins et lithographies satiriques d'Honoré Daumier.

Sans oublier

■ **Westwood Village (52)** Wilshire & Westwood Blvds *Le village a vu le jour dans les années 20 et est toujours réputé pour ses innombrables cinémas, notamment le Bruin Theater (Art Déco), et ses premières cinématographiques, mais aussi ses rues piétonnes où il fait bon flâner.* ■ **Westwood Memorial Park (54)** 1218 Glendon Ave, Westwood, CA 90024 *Ce joyau de l'architecture funéraire, bordé de majestueux jacarandas, est la dernière demeure de nombreuses célébrités parmi lesquelles Marilyn Monroe, Nathalie Wood, John Cassavetes et Frank Zappa.* ■ **UCLA (55)** 405 Hilgard Ave, Westwood, CA 90024 ☎ 213/825-4321 *L'University of California at Los Angeles, fondée en 1919, prit ses quartiers actuels en 1929. Cette véritable ville, forte de ses 34 000 étudiants, a formé entre autres quatre prix Nobel et un cinéaste, Francis Ford Coppola.*

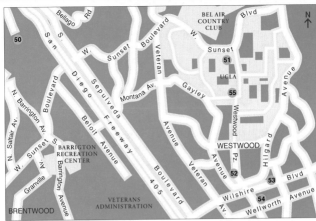

Marilyn Monroe, Joan Crawford, Shirley Temple, Raymond Chandler et
O. J. Simpson ont habité Brentwood, l'un des quartiers les plus chics de L.A.
Aujourd'hui, la plus célèbre vedette locale est le Getty Center, ouvert en 1997.
À l'est, Westwood Village, qui possède la plus grande concentration de cinémas
de Los Angeles, accueille la prestigieuse UCLA.

Cent vingt kilomètres de plages bordent le comté de Los Angeles. Rendez-vous des Angelinos, paradis des surfeurs et des volley-beachers, ces plages font partie intégrante du "bien-être" et du "bien-vivre" californien. Et sécurité oblige, les *lifeguards*, rendus célèbres par la série télévisée *Alerte à Malibu*, surveillent depuis leurs repères vos ébats aquatiques.

Voir

Malibu Lagoon & Surfrider Beach (56)
Pacific Coast Highway, Malibu, CA 90265 ☎ 310/456-9497

(Serra Rd) 🚌 434 🅿 $ 6 Lifeguards 🚻 💺 ♿

Contiguë à la jetée de Malibu, Surfrider Beach, capitale du surf dans les années 50-60, offre toujours les plus belles vagues de la région, surtout en fin d'été, après les tempêtes de sud-est, où les vagues peuvent atteindre 3 m. Plus tranquille, la plage de Malibu Lagoon abrite un refuge ornithologique (visites guidées le week-end).

Will Rogers State Beach (57)
Pacific Coast Highway, Pacific Palisades, CA 90272 ☎ 310/394-3266

(Temescal Canyon Rd) 🚌 434 🅿 Lifeguards

Cette étroite langue de sable est le rendez-vous favori des familles, attirées par les nombreuses activités, telles que le beach-volley. Les vagues étant ici moins fortes, les surfeurs en herbe peuvent se risquer en toute sécurité.

Santa Monica Beach (58)
Pacific Coast Highway, Santa Monica, CA 90401

(California Incline) 🚌 434 🅿 $ 8 Lifeguards 🚻 💺 ♿

Santa Monica demeure, avec Venice, synonyme de la culture californienne de *surf and sun*, d'où son immense popularité, due aussi à une pléthore d'activités sportives et de loisirs : volley-ball, terrains de jeux, sans oublier le *pier* ➡ 108. La piste bitumée court au milieu de la plage, tout au long de laquelle des échoppes louent murrays, skates, rollers, vélos…

Venice City Beach (59)
Winward Avenue, Los Angeles, CA 90291

(Crystal Springs Dr.) 🚌 33, 436 🅿 Lifeguards 🚻 💺 ♿

Avec ses camelots, joggers, cracheurs de feu, Hare Krishna, artistes en tout genre, et la foule qui s'y presse, le Venice Boardwalk ressemble au premier abord à une cour des miracles. Mais cette plage bon enfant n'en reste pas moins mythique, particulièrement pour sa Muscle Beach, un club de musculation en plein air. C'est ici en effet que naquit dans les années 30-40 le culte du body-building sous l'égide des frères Tanny et de Joe Gold du club Gold's Gym, club que fréquentèrent les stars d'Hollywood comme Tyrone Power, Mae West et Jayne Mansfield. Prenez le temps de flâner sur les canaux, situés entre Venice et Washington Boulevards. Ce sont les dernières traces du projet d'Abbot Kinney qui avait entrepris en 1904 de reconstituer une Venise américaine, gondoles et palais inclus !

Sans oublier

■ **Manhattan Beach & Pier (60)** Manhattan Beach Blvd, Manhattan, CA 90266 *Bordant une ville balnéaire cossue, cette plage avec son pier (jetée) est le cadre de compétitions internationales de surf et de volley.* ■ **Abalone Cove (61)** Palos Verdes Dr. South, Rancho Palos Verdes, CA 90275 *Les rochers offrent ici l'occasion de pêcher dans les mares ou les forêts de kelp où se nichent oursins, coquilles Saint-Jacques et ormeaux (abalone). Ne manquez pas de traverser la route pour visiter la chapelle Wayfarers de Lloyd Wright.* ■ **Cabrillo Beach (62)** 6300 Forest Lawn Dr., Los Angeles, CA 90068 *Surf, volley-ball, location de bateaux et de bicyclettes, pique-niques avec barbecues aménagés.*

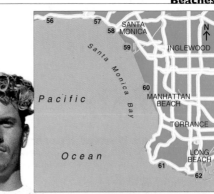

56

59

59

58

Près de là
▶ Dormir : pages 28 et 30
▶ Se restaurer : pages 46, 56, 58 et 60
▶ Sortir : pages 68, 70, 74 et 80
▶ Acheter : pages 126 et 144

Voir

Santa Monica Museum of Art (63)
**Bergamot Station, 2525 Michigan Avenue, Santa Monica,
CA 90404 ☎ 310/586-6488**

(Cloverfield Blvd) 🅿 ▭ 🕐 *mar.-sam. 11h00-18h00 ; fermé j. fér. ● $ 3 ; - 12 ans
gratuit ; étudiants, artistes, + 60 ans $ 2* 🔲 @ *smmuseum@vip.com*

Ce musée, qui expose les œuvres d'artistes originaires de Californie du
Sud, est devenu un centre des arts visuels. Ne reculant pas devant la
provocation, il se veut une passerelle entre des créateurs et des publics
aux valeurs et aux éducations différentes. Bergamot Station (1875), une
ancienne station du trolleybus Red Line, abrite également une vingtaine
de galeries, spécialisées aussi bien dans les antiquités américaines que
dans les créations contemporaines les plus délirantes.

Santa Monica Pier & Palisade Park (64)

(Colorado Blvd) 🅿 🕐 *Pacific Park dim.-jeu. 10h00-22h00 ; ven.-sam. 10h00-0h00
● gratuit / UCLA Ocean Discovery Center été : mar.-ven. 14h00-18h00 ; sam.
11h00-18h00 ; dim. 11h00-17h00 / hiver : sam.-dim. 11h00-17h00 ● $ 3* 🔳 🔲 🔲

La plus ancienne jetée aménagée de la côte Ouest a vu le jour en 1909.
Elle accueille le parc d'attractions Pacific Park, l'UCLA Ocean Discovery
Center et un vieux carrousel (1922) qui a servi de décor dans une scène
de *L'Arnaque* avec Paul Newman et Robert Redford. Palisade Park,
qui déroule son tapis verdoyant et ombragé le long du *bluff* (falaise)
surplombant la plage de Santa Monica, est un lieu propice à la flânerie,
particulièrement pour contempler le coucher de soleil sur l'océan.

Museum of Flying (65)
**2772 Donald Douglas Loop North, Santa Monica,
CA 90405 ☎ 213/626-6222**

(28th St.) 🅿 ▭ 🕐 *mar.-dim. 10h00-17h00 ● $ 7 ; - 16 ans $ 3 ; + 60 ans $ 5* 🔲

Édifié sur le site où Donald Douglas fonda la Douglas Aircraft Company
en 1922, ce musée vous fera découvrir l'histoire de l'aviation à travers
une collection d'avions légendaires. Parmi eux, le *New Orleans*, un
Douglas World Cruiser de 1924, l'un des premiers avions à avoir
fait le tour de la planète ; une réplique du Fokker DR-1 triplan, rendu
inoubliable par son pilote Manfred von Richthofen, le fameux "Baron
rouge" ; ou encore le plus petit jet du monde, le Bede BD-5J Micro
(1973), utilisé dans le James Bond de 1983, *Octopussy*.

Sans oublier
■ **Angel Attic Museum (66)** 516 Colorado Ave, Santa Monica, CA
90401 ☎ 310/394-8331 *Installé dans une maison victorienne (1895), ce musée
est un retour au monde merveilleux de l'enfance. Manoirs coloniaux et plantations
sudistes miniatures, maisons de poupées anciennes, poupées et jouets en tous genres.*
■ **The Getty Villa (67)** 17985 Pacific Coast Highway, Malibu, CA 90265
*Réplique de la villa romaine des Papiri, la résidence du magnat du pétrole J. Paul Getty,
abritera la collection d'art romain, grec et égyptien ancien dont la réouverture est
prévue pour 2002.* ■ **California Heritage Museum (68)** 2612 Main St.,
Santa Monica, CA 90405 ☎ 310/392-8537 *Cette demeure fut édifiée en 1894 sur
Ocean Blvd pour Roy Jones, fils du fondateur de la ville, le sénateur John Percival Jones.
Restaurée et déplacée à l'adresse actuelle, elle abrite des expositions temporaires
consacrées aux arts décoratifs ainsi qu'à l'architecture et à l'histoire californiennes.*

67

66

65

64

Là où s'achève la mythique Route 66, s'érige cette populaire station balnéaire qui attire surfeurs et estivants. Mais c'est à ses nombreux musées, à sa trépidante Third Street Promenade et à sa jetée haute en couleur que Santa Monica, qui inspira à Raymond Chandler la romanesque *Bay City*, doit sa constante animation.

Près de là
▶ **Dormir** : page 34
▶ **Se restaurer** : pages 56 et 64
▶ **Sortir** : page 8
▶ **Acheter** : page 126

Voir

Long Beach Aquarium of the Pacific (69)
100 Aquarium Way, Rainbow Harbor, Long Beach, CA 90802 ☎ 562/590-3100

(W. Shoreline Dr.) M *Transit Mall* P ⊟ ◷ *tlj. 9h00-18h00 ; fermé Noël*
● $ 14,95 ; - 12 ans $ 7,95 ; + 60 ans $ 11,95 📷 ⊡ *Cafe Scuba* ⊞

Le premier aquarium de niveau international dont puisse se targuer la Californie du Sud est équipé de tunnels de plexiglas qui permettent de se promener parmi les requins et les poissons tropicaux. On y voit plus de 12 000 animaux représentant quelque 500 espèces et vivant dans 17 habitats reconstitués, ainsi qu'une trentaine d'expositions de dimensions plus modestes. Les visiteurs y découvriront la faune marine de trois régions du Pacifique, allant du Sud tropical au Nord plus froid : pieuvres géantes, tortues de mer de Baja menacées d'extinction, lions de mer de Santa Catalina, oiseaux plongeurs.

The Queen Mary (70)
1126 Queens Highway, Long Beach, CA 90802 ☎ 562/435-3511

(Queens Way) P ⊟ ◷ *tlj. 10h00-18h00* ● $ 15 ; - 12 ans $ 9 ; + 60 ans $ 13
📷 🎏 ⊡ ⊞

Le *Queen Mary*, l'un des plus luxueux paquebots qui ait jamais vogué sur l'Atlantique, est la principale attraction de Long Beach. Il se visite, avec un guide ou en tour autoguidé, de la timonerie à la salle des machines en passant par le quartier des officiers et la salle à manger des premières, aux tables dressées comme au temps de sa splendeur. Une section muséographique présente la période de la Seconde Guerre mondiale, pendant laquelle le navire servit au transport des troupes, et un film introductif comprend une séquence originale du lancement. Le *Queen Mary* est voisin d'un autre navire légendaire, le *Povodnaya Lodka B-427*, un sous-marin soviétique de type Foxtrot, plus connu sous le nom de *Scorpion* et dont la construction fut commandée en pleine guerre froide.

Long Beach Museum of Art (71)
2300 E. Ocean Boulevard, Long Beach, CA 90803 ☎ 562/439-2119

(Kennebec Ave) P ⊟ ◷ **Musée** *mar.-dim.; 11h00-19h00 / Jardins mar.-dim. 7h30-19h00* ● $ 5 ; - 12ans gratuit ; étudiants, + 62 ans $ 4 ⊞ ⊡

Surplombant la grande plage de Long Beach, cette ancienne résidence secondaire de style Craftsman (1912) abrite depuis 1957 une collection permanente d'œuvres picturales et sculpturales d'artistes sud-californiens contemporains. Parallèlement, le musée organise des expositions présentant les projets expérimentaux de professionnels des média.

Sans oublier

■ **Museum of Latin American Art (MoLAA)** (72) 628 Alamitos Avenue, Long Beach, CA 90814 ☎ 562/437-1689 *Une collection consacrée aux artistes d'Amérique latine depuis la Seconde Guerre mondiale. Restaurant latino.*
■ **Naples** (73) E. 2nd St., Long Beach, CA 90803 *Cette île, principalement résidentielle, est l'œuvre d'Arthur Parson qui, tout comme Abbot Kinney et sa Venice* ➡ *106, investit dans des terres marécageuses pour recréer une cité lacustre.*
■ **Getaway Gondola** (74) 5437 E. Ocean Blvd, Long Beach, CA 90803 ☎ 562/437-1689 *Il n'y a pas qu'à Venise qu'on trouve des gondoles : une balade d'une heure sur les canaux est une façon romantique de visiter l'île. Fermé le lundi.*

70

73

Deuxième plus grande ville du comté après Los Angeles, Long Beach est devenue une destination touristique dont les principaux atouts sont la présence d'un paquebot légendaire, le *Queen Mary*, et un grandiose aquarium. Plusieurs grands événements s'y tiennent chaque année, comme le grand prix Toyota, au printemps, et le Blues Festival, pendant le week-end du Labor Day, en septembre.

70

69

S'échapper

La route des vins

Au nord de Santa Barbara, la chaîne de Santa Ynez abrite plus de 8 000 ha de vignobles. Suivez la Foxen Canyon Wine Trail et goûtez aux cépages Viognier, Chardonnay et Cabernet. Pour se procurer la carte complète, appelez la :

Santa Barbara Vintners' Association
☎ *805/688-0881*
ou 800/218-0881

La vallée de la Mort

Déserts de sel (*Devil's Golf Course*), canyons (*Golden Canyon*), palmeraies (*Furnace Creek*) sont quelques-uns des splendides décors (surtout à l'aube et au crépuscule lorsque les roches se colorent) qu'offre la traversée de *Death Valley*. À quelque 320 km au nord de L.A., ce parc national, situé à 86 m au-dessous du niveau de la mer, est à visiter de préférence au mois d'avril (l'été la température atteint les 40° C).
Furnace Creek Visitor Center ☎ *619/786-2331* ⊙ *tlj. 8h00-17h00*

Golf à Palm Springs

Avec plus de 100 greens, la station thermale de Palm Springs est devenue la capitale mondiale du golf (à 2h de Los Angeles). Une oasis très fréquentée par les Angelinos en période hivernale. Vous pourrez aussi skier sur le mont Jacinto en empruntant l'Aerial Tramway, un téléphérique qui vous fait passer en 20 min du désert à la fraîcheur des pics enneigés.

23
Échappées

SÉLECTIONNÉES ET PRÉSENTÉES PAR *VALERIE SUMMERS*

Ski à Big Bear Lake

Le station de Big Bear Lake (à 135 km), au cœur des montagnes fermant le bassin de Los Angeles, offre tout au long de l'année une multitude d'activités physiques : voile, pêche, VTT, trekking, 4X4, jet-ski, snowboard, ski…
Big Bear Lake Visitors Center
630 Bartlet Road, Village ☎ *800/424-4232* ➡ *909/866-5671*
🕐 *lun.-ven. 8h00-17h00 ; sam.-dim. 9h00-17h00*
www. bigbearinfo.com / www.snowsummit.com / www.bearmtn.com

Jeux d'argent à Las Vegas

À 5h au nord-est de Los Angeles par la route, Las Vegas est le royaume du spectacle et des casinos. Consultez le *LA Times* pour des offres spéciales hebdomadaires défiant toute concurrence (hébergement et vol compris).
Las Vegas Visitor Center
Convention Center, 3150 Paradise Rd, Nevada
☎ *702/892-7575*

INDEX THÉMATIQUE

Les directions données indiquent la route à suivre en voiture au départ de Downtown Los Angeles. Sans véhicule, vous aurez le choix d'utiliser les bus MTA ➡ 10, le train de banlieue *Metrolink* (☎ 800/ 371-5465) au départ de la gare Union Station ➡ 8 ou, pour les parcs d'attractions, les services de navettes que proposent de nombreux hôtels.

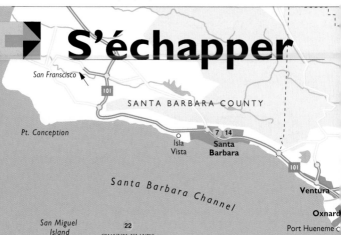

S'échapper

San Franscisco ➤

SANTA BARBARA COUNTY

Pt. Conception

Isla Vista

**7-14
Santa Barbara**

Ventura

Santa Barbara Channel

Oxnard

Port Hueneme

San Miguel Island

22
CHANNEL ISLANDS NATIONAL PARK

Santa Cruz Island

Anacapa Island

Santa Rosa Island

Six Flags Magic Mountain (1) & Hurricane Harbor (5)

(35 km au N-O de Downtown L.A.)
🚗 Fwy I-5 (Golden State), sortie Valencia ; Magic Mountain Parkway
🚆 Metrolink, gare Santa Clarita, puis bus 10 ou 20

Knott's Berry Farm (2), Adventure city (4) & Movieland Wax Museum (15)

(64 km au S-E de Downtown L.A.)
🚗 Fwy I-405, Fwy I-5 (Santa Ana) ou Fwy I-91, sortie Beach Blvd
🚆 Metrolink gare Fullerton
🚌 MTA 460

Disneyland (3)

(80 km au S-E de Downtown L.A.)
🚗 Fwy I-5 (San Diego) ou I-5 (Santa Ana), sortie Disneyland, Laguna Canyon Road (Hwy 133) ouest
🚌 Greyhound

Wild Rivers Waterpark (6)

(85 km au S-E de Downtown L.A.)
🚗 Fwy I-405 (San Diego), sortie Irvine Center Drive

Santa Barbara (7-14)

(160 km au nord de Downtown L.A.)
🚗 Fwy US-101 (Ventura) ou PCH-1, puis Fwy US-101
🚆 Amtrak, gare Santa Barbara
🚌 AMT 434

Crystal Cathedral (16) & Bowers Museum (17)

(65 km au S-E de Downtown L.A.)
🚗 Fwy I-5 (Santa Ana), sortie 17th Street à Santa Ana

San Nicolas Island

Orange County Museum of Art (18) & Balboa Island (19)

(80 km au S-E de Downtown L.A.)
🚗 Fwy I-405 (San Diego), sortie Newport Blvd
🚆 Metrolink, gare Newport Beach

Laguna Beach (20)

(96 km au S-E de Downtown L.A.)
🚗 Fwy I-405, sortie Laguna Canyon Rd (Hwy 133) Ouest

Irvine Museum (21)

(75 km au S-E de Downtown L.A.)
🚗 Fwy I-405 (San Diego), sortie Chambory Rd

Channel Islands (22)

(traversée entre 1h30 et 3h)
⛴ Ventura *Island Packers Company*
☎ 805/642-1393 1867 Spinnaker Dr.

⛴ Santa Barbara *Truth Aquatics*
☎ 805/962-1127 SEA Landing, 301 W. Cabrillo Blvd

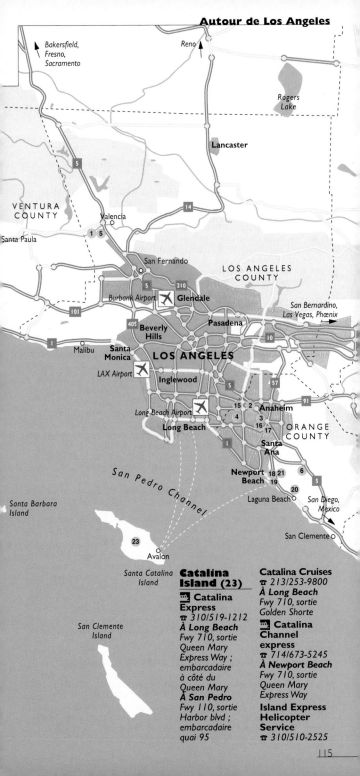

Bakersfield,
Fresno,
Sacramento

Reno

Rogers
Lake

Lancaster

VENTURA
COUNTY

Valencia

Santa Paula

1 5

San Fernando

LOS ANGELES
COUNTY

Burbank Airport 5 210 **Glendale**

San Bernardino,
Las Vegas, Phœnix

101

**Beverly
Hills** 405 **Pasadena**

Malibu **Santa
Monica** 10

LOS ANGELES

LAX Airport **Inglewood**

5 4 5 7

Long Beach Airport 15 ◄ 2 **Anaheim** 91

4 3

Long Beach 16 ORANGE
COUNTY

17

1 **Santa
Ana**

**Newport 18 21
Beach** 19

San Pedro Channel

6

20 5

Laguna Beach San Diego,
Mexico

Santa Barbara
Island

San Clemente

23

Avalon

Santa Catalina
Island

San Clemente
Island

Catalina Island (23)

Catalina Express
☎ 310/519-1212
À Long Beach
Fwy 710, sortie
Queen Mary
Express Way ;
embarcadaire
à côté du
Queen Mary
À San Pedro
Fwy 110, sortie
Harbor blvd ;
embarcadaire
quai 95

Catalina Cruises
☎ 213/253-9800
À Long Beach
Fwy 710, sortie
Golden Shorte

Catalina Channel express
☎ 714/673-5245
À Newport Beach
Fwy 710, sortie
Queen Mary
Express Way

Island Express Helicopter Service
☎ 310/510-2525

Pour conserver leur âme d'enfant, les Californiens ont tout simplement inventé les parcs d'attractions pour petits… et grands. Et c'est dans les comtés de Los Angeles et d'Orange qu'y sont concentrés les plus célèbres. De la journée avec Mickey aux vertigineuses montagnes russes de Six Flags Magic Mountain, il y en a pour tous les goûts et pour tous les âges.

S'échapper

Six Flags Magic Mountain (1)
26101 Magic Mountain Pkwy, Valencia, CA 91355 ☎ 818/367-5695

P ▬ ◷ *Memorial Day-Labor Day* : lun.-jeu., dim. 10h00-22h00 ; ven.-sam. 10h00-0h00 / *Labor day-Memorial day* : sam.-dim., vac. scolaires 10h00-20h00 ● $ 39 ; - 1,20 m, + 60 ans $ 19,50 ⊞ ▢ ⊞

Frissons garantis pour les fanatiques de montagnes russes. Le parc en décline toute une gamme (debout, assis, à l'envers !) dont Riddler's Revenge, la plus haute et la plus rapide du monde, qui vous fera dévaler les rails contorsionnés dans tous les sens à la vitesse de 100 km/h. Mais n'hésitez pas à faire la queue pour Goliath, la toute dernière attraction, qui s'est ouverte au printemps 2000. Le parc comprend dix thèmes, dont une descente sur les flots bouillonnants des Roaring Rapids et une balade en pleine nature à travers le High Sierra Territory.

Knott's Berry Farm (2)
8039 Beach Boulevard, Buena Park, CA 90620 ☎ 714/827-1776

(entre La Palma Ave et Crescent St.) P ▬ ◷ *juin-15 sept.* : tlj. 9h00-0h00 / 15 sept.-mai : lun.-ven. 10h00-18h00 ; sam. 10h00-22h00 ; dim. 10h00-19h00 / fermé Noël ● $ 38 ; enfants, + 65 ans $ 28 ; après 16h00 $ 16,95 ⊞ ▢ ⊞

En 1920, en lieu et place de ce parc d'attractions, le premier d'Amérique, se trouvait une ferme où l'on vendait des *berries* (fruits rouges). Dans les années 30, il fit ses débuts en présentant sa seule attraction, Ghost Town, une ville fantôme dont les bâtiments avaient été récupérés sur les sites des chercheurs d'or. Depuis, plus de 165 attractions et spectacles divers ont suivi et Knott's Berry Farm décline aujourd'hui plusieurs thèmes tels que le Camp Snoopy, où vous retrouverez toute la famille de Peanuts. Ghostrider et Supreme Scream sont les attractions les plus appréciées du public.

Disneyland (3)
1313 Harbor Boulevard, Anaheim, CA 90802 ☎ 714/781-4565

P ▬ ◷ *juin-15 sept.* : dim.-ven. 8h00-1h00, sam. 9h00-1h00 / 15 sept.-mai : lun.-ven. 10h00-18h00 ; sam. 9h00-0h00 ; dim. 9h00-22h00 ● $ 41 ; - 9 ans $ 31 ; + 60 ans $ 39 / Pass 2 j. $ 76 ; Pass 5 j. $ 99 ⊞ ▢ ⊞

Autoproclamé "l'endroit le plus heureux du monde", le plus célèbre des parcs de loisirs est né dans le comté d'Orange voici 45 ans. Ce paradis du bonheur familial ne cesse de peaufiner ses attractions. Huit thèmes sont proposés dont Adventureland, inspiré d'*Indiana Jones*, Critter Country, un morceau de l'Amérique profonde dominé par Splash Mountain, Main Street ou la renaissance d'une petite ville américaine, Mickey's Toontown, une ville peuplée de créatures de BD, et la futuriste Tomorrowland. En attente, un nouveau parc à thèmes prévu pour 2001, California Adventure.

Sans oublier

■ **Hobby & Adventure City (4)** 1238 S. Beach Blvd, Anaheim, CA 90680 ☎ 714/236-9300 *Manèges, spectacles et attractions destinés aux jeunes enfants. Ouvert en été seulement.* ■ **Hurricane Harbor (5)** 2060 Magic Mountain Pkwy, Valencia, CA 91355 ☎ 818/367-5965 *Sur le thème des pirates, le parc propose des dizaines d'attractions aquatiques pour toute la famille. Castaway Cove propose une série d'attractions pour les tout-petits.* ■ **Wild Rivers Waterpark (6)** 8770 Irvine Center Dr., Irvine, CA 92618 ☎ 949/768-9453 *Jeux d'eaux pour grands et petits. Idéal lors des canicules.*

117

Santa Barbara, l'une des évasions favorites des Angelinos, est accessible, entre autres, par une route côtière pittoresque et merveilleusement relaxante, la Pacific Coast Highway. L'architecture de cette localité balnéaire élégante et discrète et ses nombreuses rues aux noms espagnols rappellent son héritage hispanique.

S'échapper

Santa Barbara Botanic Garden (7)
1212 Mission Canyon Dr., Santa Barbara, CA 93101 ☎ 805/682-4726

🅿 📋 🕐 *lun.-ven. 9h00-16h00 ; sam.-dim. 9h00-17h00* ● *$ 3 ; - 12 ans $ 1 ; - 17 ans, + 60 ans $ 2* 🔲 *lun.-mer., ven. 14h00 ; jeu., sam., dim. 10h30, 14h00* 🈂

En 1926, afin de ne pas voir l'un des plus beaux canyons de la région se transformer en quartier résidentiel, Anna Blaksley Bliss le déclare réserve botanique. Aujourd'hui les 30 ha offrent sur plus de 7 km de sentiers un superbe décor pour l'étude de la flore californienne dont quelque 1 000 espèces sont des spécimens rares ou endémiques.

Mission Santa Barbara (8)
2201 Laguna Street, Santa Barbara, CA 93101 ☎ 805/682-4713

🅿 📋 🕐 *tlj. 9h00-17h00* ● *$ 3 ; - 16 ans gratuit* 🈂

Fondée en 1786, la "reine des missions" demeure la seule en activité et la mieux préservée des 21 missions construites en Californie par l'ordre des Franciscains. Visitez ses jardins, son musée qui comprend des pièces d'habitation remplies d'objets d'époque, et son église aux tours jumelles.

Santa Barbara Museum of Art (9)
1130 State Street, Santa Barbara, CA 93101 ☎ 805/963-4364

🕐 *mar.-jeu., sam. 11h00-17h00 ; ven. 11h00-21h00 ; dim. 12h00-17h00* ● *$ 5 ; + 62 ans $ 3 ; - 17 ans $ 2 ; - 6 ans gratuit / gratuit le jeudi* 🔲 🈂

Cet exceptionnel musée régional, l'un des dix plus beaux des États-Unis, abrite une impressionnante collection de trésors couvrant quelque 4 000 ans d'art, des bronzes anciens à l'art contemporain avant-gardiste. Ne manquez pas *Villas à Bordighera* (1884), de Monet, et l'Hermès de marbre de Lansdowne et autres œuvres de Chagall, O'Keefe, Hooper et Eakins.

County Courthouse (10)
1100 Anacapa Street, Santa Barbara, CA 93101 ☎ 805/962-6464

🕐 *lun.-ven. 8h00-17h00 ; sam.-dim. 9h00-17h00* ● *gratuit* 🔲 *lun.-sam. 14h00* 🈂

Ce palais de justice aux proportions seigneuriales, réalisé en 1929, comprend des salles de style mauresque et espagnol agrémentées de portes de bois sculpté, de mosaïques tunisiennes et de fresques colorées. L'impressionnante peinture murale réalisée par Dan Sayre Groesbeck de la salle d'audience représente l'histoire du comté. Vue exceptionnelle depuis la tour.

Sans oublier

■ **Santa Barbara Historical Museum** (11) 136 E. De la Guerra St., Santa Barbara, CA 93101 ☎ 805/966-1601 *Jouets anciens, costumes d'époque, souvenirs et documents retraçant le passé de Santa Barbara.* ■ **El Presidio** (12) 123 E. Canon Perdido St., Santa Barnara, CA 93101 ☎ 805/966-9719 *Dernier poste militaire de l'Empire espagnol au Nouveau Monde fondé en 1782 par le lieutenant Jose Francisco de Ortega.* ■ **Santa Barbara Winery** (13) 202 Anacapa St., Santa Barbara, CA 93101 ☎ 805/963-3646 *La plus vieille distillerie du pays fondée en 1962. Visite guidée et dégustation.* ■ **Maritime Museum** (13) Harbor Way, Santa Barbara, CA 93109 ☎ 805/962-8404 *Découvrez l'important passé maritime de Santa Barbara. La visite commence à l'époque des Chumash, une peuplade indigène qui, voici des milliers d'années, tirait sa subsistance de la mer. Passionnantes attractions interactives et objets d'artisanat.*

Le comté d'Orange, où l'on ne voit malheureusement pratiquement plus d'orangeraies, est réputé pour ses luxueuses cités balnéaires, ses musées, ses parcs d'attractions ➡ 116 en tous genres et ses communautés d'artistes. On raconte qu'il est si conservateur que seuls les tournants à droite sont autorisés...

S'échapper

Movieland Wax Museum (15)
7711 Beach Boulevard, Buena Park, CA 90620 ☎ 714/522-1154

(La Palma Ave) 🅿 ⬜ 🕐 *lun.-ven. 10h00-18h00 ; sam.-dim. 9h00-19h00*
● *$ 12,95 ; - 12 ans $ 6,95 ; + 65 ans $ 10,95*

Quelque 300 statues de cire immortalisent plus de 75 ans de cinéma américain. Les célébrités du grand écran mais aussi de la politique, du sport, des média, vêtues de costumes originaux offerts par leurs modèles, sont mises en situation dans des scènes authentiques inspirées d'*Autant en emporte le vent* ou du *Magicien d'Oz*. Gloria Estefan, John Travolta, Jack Nicholson et l'équipe de *Star Trek* figurent parmi les dernières créations.

Crystal Cathedral (16)
12141 Lewis Street, Garden Grove, CA 92840 ☎ 714/971-4013

(Chapman Ave) 🅿 🕐 *lun.-sam. 9h00-17h00 ; services dim. 9h30, 11h00*
🈂 *lun.-sam. 9h00-16h00* ● *$ 2 ; - 12 ans gratuit* **Pageants** ● *$ 20-30* 🈂

Cet exploit architectural d'une hauteur de 11 étages, en forme d'étoile à quatre branches, constitué de tubes d'acier sur lesquels reposent 10 000 panneaux de verre, est l'œuvre de Philip Johnson. Domaine du très médiatisé évangéliste Robert Schuller, les plus grandes attractions annuelles sont deux *pageants* (reconstitutions à grand spectacle), *The Glory of Christmas*, à Noël, et *The Glory of Easter*, à Pâques.

Bowers Museum (17)
2002 N. Main Street, Santa Ana, CA 92706 ☎ 714/567-3600

(I-5) 🅿 🕐 *mar.-mer., ven.-dim. 10h00-16h00 ; jeu. 10h00-19h00* ● *$ 6*
Riche de plus de 83 000 pièces, le plus grand musée du comté s'est spécialisé dans la préservation et la présentation des arts précolombien, d'Afrique, d'Océanie et des Indiens d'Amérique. La scénographie met en rapport ces différentes cultures à travers les âges.

Orange County Museum of Art (18)
850 San Clemente Dr., Newport Beach, CA 92606 ☎ 949/759-1122

(Jamboree Rd et Santa Barbara Dr.) 🅿 🈂 🕐 *mar.-dim. 11h00-17h00* ● *$ 5 ;
- 16 ans gratuit ; étudiant, + 62 ans $ 4 ; gratuit le mardi* 🈂 🈳

Principalement consacré aux artistes californiens. Les expositions vont des œuvres impressionnistes à de provocantes créations contemporaines.

Sans oublier

■ **Balboa Island & Peninsula (19)** *PCH 1, Newport Beach Cette élégante localité balnéaire est entourée de plages protégées. Vous savourerez le plaisir de la tranquillité en arpentant ses planches. Ne manquez pas le Balboa Pavilion, parfait exemple d'une "folie" construite sur le front de mer au début du siècle dernier.* ■ **Laguna Beach (20)** *Les rues tortueuses de cette cité balnéaire entourée de falaises déchiquetées sont remplies de galeries, de boutiques et de cafés. Cette colonie d'artistes accueille chaque été le Pageant of the Masters, une reconstitution live de peintures et de statues célèbres, et le Sawdust Festival, rendez-vous des musiciens, des mimes et des artisans venus présenter leur production.* ■ **Irvine Museum (21)** *18881 Von Karman Ave, 11e étage, Irvine CA 92805 ☎ 949/476-2565 Le musée des impressionnistes californiens (1890-1930). Les œuvres furent rassemblées par la petite-fille de James Irving, Joan.*

16

17

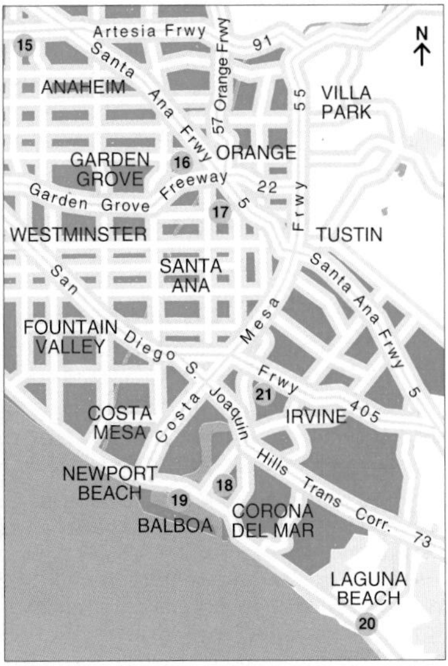
Artesia Frwy
N
15
91
Santa Ana Frwy
57 Orange Frwy
55
ANAHEIM
VILLA PARK
GARDEN GROVE
16
ORANGE
Garden Grove Freeway
22
5
17
Frwy
WESTMINSTER
TUSTIN
SANTA ANA
Santa Ana Frwy
San Diego
FOUNTAIN VALLEY
Mesa
Frwy
21
5
COSTA MESA
Costa
S. Joaquin
IRVINE
405
NEWPORT BEACH
Hills Trans Corr.
18
19
BALBOA
CORONA DEL MAR
73
LAGUNA BEACH
20

19

GABOR KORANYI

20

Une promenade en bateau au large de la Californie du Sud offre mieux qu'une belle excursion : la possibilité d'explorer les îles. Jetez l'ancre à Catalina, ancien royaume du magnat du chewing-gum William Wrigley Jr. et retraite favorite de l'écrivain Zane Grey ; ou bien optez pour l'aventure et visitez le parc national des Channel Islands.

S'échapper

Channel Islands (22)

Channel Islands National Park Visitor Center,
1901 Spinnaker Drive, Ventura, VE 90000 ☎ 805/658-5730

Observation des baleines 🌙 *juin-oct. renseignements* Channel Islands National Marine Sanctuary ☎ 805/966-7107 **Camping** (réservations obligatoires) Biospherics ☎ 800/365-2267 ● $ 2,50 🚽

Situées à moins de 30 km de la côte, les Channel Islands constituent très certainement l'un des plus beaux parcs naturels de la Californie. Elles furent peuplées par les Indiens Chumash, "peuple des îles", jusqu'en 1542, date de l'arrivée de l'explorateur Juan Rodriguez. Aux XVIIIe et XIXe siècles, l'archipel fut exploité pour la chasse, la fourrure et l'élevage bovin et ovin, allant jusqu'à menacer les ressources naturelles. Ce n'est qu'en 1980 que cinq de ces îles - Santa Barbara, Anacapa, Santa Cruz, San Miguel et Santa Rosa - ont été classées parc national et en 1988 que le Nature Conservancy a installé son centre sur Santa Cruz. Aujourd'hui, elles abritent une très large variété d'espèces animales et végétales dont 145 endémiques, que l'on peut apprendre à reconnaître grâce aux visites organisées par les Rangers. Toutes ces îles diffèrent les unes des autres tant dans leur morphologie que dans la diversité de leurs occupants. Sur les trois petites îles d'Anacapa vous trouverez, par exemple, des sites archéologique chumash et le cerf d'Anacapa. Sur Santa Rosa, la plus éloignée de l'archipel, vous verrez le fossile d'un mammouth nain découvert en 1994, des pins Torrey et le seul ranch, Vail & Vickers, toujours en activité (jusqu'en 2002). Côté mer, le choix d'activités praticables partout est tout aussi vaste : plongée, kayak, pêche et observation des baleines bleues et à bosse. Si vous décidez de rester quelques jours vous pourrez véritablement jouer les Robinson Crusoé car il n'y a aucune commodité : pas d'eau, pas d'électricité, ni restaurant ni hôtel et pas de toilettes !

Catalina Island (23)

Wrigley Memorial & Botanical Garden Avalon Canyon Rd 🌙 tlj. 8h00-17h00 ● $ 3 ☎ 310/510-2288 **Casino** I Casino Way 🌙 tlj. visites guidées ● $ 8,50 ☎ 310/510-8687 **Catalina Island Museum** I Casino Way 🌙 Pâques-jan. : tlj. 10h30-16h00 I jan.-Pâques : ven.-mer. 10h30-16h00 ● $ 1,50 ☎ 310/510-2414

Le paradis des plaisanciers angelinos qui envahissent chaque week-end les havres protégés d'Avalon et de Two Harbors. À 35 km au sud-ouest de Long Beach, Catalina offre aux amateurs de plein air pléthore d'activités : équitation, golf, plongée, rafting, bateau, paraski, camping, bicyclette, kayak, randonnée ou découverte des fonds marins à bord d'un bateau à la coque vitrée. Le **Wrigley Botanical Garden** abrite des plantes du monde entier, et surtout des espèces rarissimes qui ne poussent qu'à Catalina. Un film consacré à ce jardin de 20 ha est projeté au centre à vocation pédagogique. Le célèbre **Casino** circulaire Art déco au toit de tuiles rouges n'est pas une salle de jeu, mais une salle de bal. Achevé en 1929, il abrite aujourd'hui un cinéma et un musée, le **Catalina Island Museum**, consacré à l'histoire culturelle de l'île. La poterie et la tuilerie insulaires y sont à l'honneur, ainsi que le paquebot et des objets archéologiques. Discovery Tours (☎ 310/510-2414) organise des visites guidées. Il vous viendra peut-être à l'idée de rester un peu plus longtemps qu'une journée. Avalon est prête à vous recevoir : nombreux hôtels, boutiques et restaurants vous accueilleront.

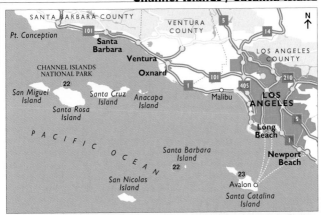

➡ Acheter

Tailles homme

Chemises
41 = 16
42 = 46,5
43 = 17

Chaussures
41 = 8
42 = 8,5
43 = 9,5

Tailles femme

Chemisier / jupe
38 = 6
40 = 8
42 = 10

Chaussures
37 = 6
38 = 7
40 = 9

Farmers' Markets

Los Angeles est réputée pour ses petits marchés biologiques qui se tiennent dans les différents quartiers de la ville.

Hollywood *Ivar Ave (Sunset Blvd)*
🕐 *dim. 8h30-13h00*

Santa Monica *Arizona Blvd*
🕐 *mer. 9h30-15h00 ; sam. 9h30-14h00*

Venice *Venice Blvd et Venice Wy*
🕐 *ven. 7h00-11h00*

West Hollywood *Plummer Park, 7377 Santa Monica Blvd*
🕐 *lun. 9h00-14h00*

Le Farmers' Market, sans doute le plus touristique, regroupe sous sa halle plus de 150 échoppes et restaurants ➡ 52 *6333 W. 3rd St. (Fairfax Blvd)*
🕐 *lun.-sam. 9h00-20h00 ; dim. 10h00-17h00*

Stationnement

Les *shopping malls* ont tous leur parking gratuit ; dans les villes comme Santa Monica et Beverly Hills, profitez des 2 heures de gratuité dans les parkings publics ; quant aux boutiques exclusives, elles proposent un service de voiturier.

68
Magasins

SÉLECTIONNÉS ET PRÉSENTÉS PAR *ANDREA SCHULTE-PEEVERS*

Trader Joe's

La Californie du Sud ne serait pas la même sans cet incroyable supermarché discount. Les produits sont d'un excellent rapport qualité/prix avec en prime des sélections surprises. De nombreuses adresses à L.A. dont : *3212 Pico Blvd (entre 32nd et 33rd Sts), Santa Monica* ☎ *310/581-0253*

Le saviez-vous ? Les *malls* (centres commerciaux) ont été inventés à Los Angeles. Le premier, ouvert dans les années 30, reflétait l'expansion du L.A. suburbain et le boom naissant de l'automobile. Aujourd'hui, ces paradis du consommateur sont près d'une centaine, abritant boutiques, grands magasins, restaurants, cinémas et, bien sûr, parkings à gogo.

Acheter

Universal City Walk (1)

Universal City Dr., Studio City, CA 91608
☎ 818/622-4455
(Lankershim Blvd)
🅿 **Centre commercial** ▢
🕐 *lun.-jeu. 11h00-21h00 ; ven.-sam. 11h00-23h00*
🎬 ▢
À deux pas des studios Universal ➡ 96, ce centre piétonnier est un monde à part, réputé pour son animation digne d'un carnaval, ainsi que pour ses boutiques et son décor farfelus. On y voit entre autres une Chevrolet rose s'écrasant sur un panneau d'autoroute et un gigantesque gorille encadrant une porte.

Certains magasins valent le détour, notamment Things From Another World (pour les collectionneurs fanas de science fiction), Nature Company, spécialisé dans les articles écologiques, ou le magasin des studios Warner Bros.

Beverly Center (2)

8500 Beverly Dr., Los Angeles, CA 90048
☎ 310/854-0070
(La Cienaga Blvd)
🅿 **Centre Commercial** ▢
🕐 *lun.-ven. 10h00-21h00 ; sam. 10h00-20h00 ; dim. 11h00-18h00*
🎬 ▢
Avec ses lignes anguleuses et sa façade gris acier dépourvue de fenêtres, le Beverly Center ressemble à un vaisseau spatial surdimensionné. Les célébrités viennent faire leurs emplettes dans ses boutiques extrêmement variées : prêt-à-porter masculin (Hugo Boss), cosmétiques californiens (MAC), chaussures (Charles David), etc. On peut aussi changer de look et de coiffure chez Carlton Hair International, obtenir des places de spectacle à moitié prix au Times Tix, hanter les rayons de Macy's, et faire une halte au Hard Rock Café.

Century City Center (3)

10250 Santa Monica Boulevard, Los Angeles, CA 90067
☎ 310/553-5300
(Ave of the Stars)
🅿 **Centre commercial** ▢
🕐 *lun.-ven. 10h00-21h00 ; sam.-dim. 10h00-18h00*
🎬 ▢
L'unique centre commercial en plein air de L.A. ne lasse pas de surprendre. La traversée des allées donnerait presque le sentiment de flâner dans une petite ville. De nombreuses boutiques haut de gamme se disputent l'attention et le portefeuille des

visiteurs, y compris les plus difficiles. On trouve ici des chaînes très populaires comme Crate & Barrel ➡ 130 et Ann Taylor, mais aussi la librairie Brentano's et les grands magasins Bloomingdale et Macy's. Terminez la journée en allant voir un film dans le complexe de 14 salles.

Santa Monica Place (4)

395 Santa Monica Pl., Santa Monica, CA 90067
☎ 310/553-5300 (entre 2nd et 4th Sts)
🅿 Centre commercial ▢
🕐 lun.-sam. 10h00-21h00 ; dim. 11h00-18h00 ▦ ▣

L'architecture fantasque contribue au charme de ce *mall* de trois étages qui abrite des magasins très variés allant de Brookstone, connu pour ses accessoires de voyage, maison et bureau, à Frederick's of Hollywood ➡ 132, spécialiste de la lingerie sexy. The Store of Knowledge séduit tous les enfants avec ses jouets éducatifs mais rigolos, et Bombay Company attire une clientèle plus tranquille avec ses meubles élégants de style colonial. Pour avoir un aperçu général des produits, du fauteuil au costume zazou, essayez Macy's et Robinsons-May.

Citadel Factory Store (5)

5675 E. Telegraph Road, City of Commerce, CA 90040
☎ 323/888-1220 (I-5 puis sortie Atlantic Blvd)
🅿 Centre commercial ▢
🕐 lun.-sam. 10h00-20h00 ; dim. 10h00-18h00 ▦ ▣

L'unique magasin d'usine de la ville occupe une ancienne usine de pneus construite d'après un palais assyrien et dont l'entrée est flanquée de griffons géants. Vous y trouverez des articles de marques comme Ann Taylor, Eddie Bauer, London Frog, Vans Shoes, Betsey Johnson et Samsonite, vendus de 30 à 70 % moins cher que chez les détaillants.

Westside Pavilion (6)

10830 W. Pico Blvd, West Los Angeles, CA 90064
☎ 310/474-6255 (Westwood Blvd)
🅿 Centre commercial ▢
🕐 lun.-ven. 10h00-21h00 ; sam. 10h00-20h00, dim. 11h00-18h00 ▦ ▣

Un centre élégant où l'on fait ses emplettes dans un atrium éclairé par une verrière, derrière une façade colorée. Port d'attache de Nordstrom et Robinsons-May.

Près de là

 ➜ **Dormir :** page 16
 ➜ **Se restaurer :** pages 38 et 40
 ➜ **Sortir :** page 74
 ➜ **Voir :** pages 86, 88 et 90

Acheter

San Antonio Winery (7)
737 Lamar Street, Los Angeles, CA 90000 ☎ 323/223-1401

(Cardinal St.) 🅿 *Vins* ▣ 🕐 *dim.-mar. 10h00-18h00 ; mer.-sam. 10h00-19h00* 🏠

San Antonio Winery est le dernier bastion vinicole d'une région qui - incroyable mais vrai - était jadis couverte de vignobles. Le raisin de ce viticulteur, qui existe depuis 1917, est à présent cultivé dans le centre de la Californie, mais ses vins, souvent excellents, sont toujours élaborés ici. La maison propose en outre une salle de dégustation, une visite guidée individuelle et gratuite et un restaurant italien qui n'a rien de frelaté.

Grand Central Market (8)
317 Broadway, Los Angeles, CA 90014 ☎ 213/624-2378

(entre 7th et 8th Sts) **Marché alimentaire** ▣ 🕐 *tlj. 9h00-18h00*

Créée en 1917, cette halle bruissante d'animation est une fête pour les yeux et le palais et une véritable institution. Flânez d'une aile à l'autre et admirez son vaste choix de fruits et de légumes artistement empilés, sans oublier des variétés régionales comme les *tomatillos* et le plantain. Les rayons boucherie proposent d'innombrables viandes, du banal steak à des morceaux dont vous ignoriez jusqu'à l'existence. On peut aussi faire des réserves d'épices exotiques et de décoctions d'herbes chinoises. Pour finir, laissez-vous tenter par l'une des cantines locales comme Maria's Pescado Frito, réputée pour ses tacos au poisson, ou le China Cafe où vous pourrez déguster une délicieuse soupe fumante.

La Plata Cigar Company (9)
1026 Grand Avenue, Los Angeles, Ca 90015 ☎ 213/747-8561

(entre 7th et 8th Sts) **Fabricant de cigares** ▣ 🕐 *lun.-ven. 8h00-16h00*

Depuis plus de 150 ans, chez La Plata, on roule artisanalement des cigares cubains pour une clientèle allant du simple ouvrier au magnat d'Hollywood. Il y a de grandes chances pour que son sympathique personnel vous entraîne dans l'arrière-salle afin de vous montrer les hommes de l'art en pleine action. Les vrais aficionados, cependant, préféreront faire leur choix dans le grandiose humidificateur.

Santee Alley (10)

(entre Olympic Blvd et 12th St.) **Marché** 🕐 *tlj. 10h00-18h00*

Cette allée piétonnière du Garment District a tout du bazar oriental. Vous pourrez y dénicher des modèles de créateur à des prix intéressants, mais, pour faire une très bonne affaire, n'hésitez pas à marchander.

Sans oublier

■ **L.A. Flower Market (11)** 754 Wall Street, Los Angeles, CA 90014 ☎ 213/622-1966 *Ce marché aux fleurs, véritable symphonie d'arômes et de couleurs, existe depuis 1913. Depuis peu, il reste ouvert jusqu'à 12h00, ce qui permet à chacun de flâner parmi ses étals en raflant des brassées de gingembre hawaïen ou de pensées aux subtils camaïeux.* ■ **Cooper Building (12)** 860 S. Los Angeles St., Los Angeles, CA 90014 ☎ 213/622-1139 *Ce magasin d'habillement de huit étages, épicentre du Garment District, propose des articles en solde signés par des créateurs de L.A. et du monde entier pour homme, femme et enfant, des échantillons de tissu, des accessoires et des chaussures.*

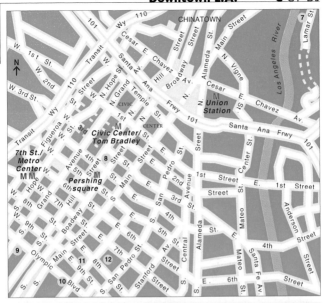

7

9

Downtown reste l'un des centres les plus passionnants de la ville en ce qui concerne le shopping. Avec Broadway, l'avenue des soldes, les halles et marchés et le Fashion District, c'est le quartier des bonnes affaires.

10

8

Près de là

- **Dormir :** page 18
- **Se restaurer :** pages 42 et 56
- **Sortir :** page 78
- **Voir :** pages 86 et 92

Acheter

Crate & Barrel (13)

75 W. Colorado Boulevard, Pasadena, CA 91105 ☎ 626/683-8000

(Leonard J. Pieroni St.) **Art de la maison** ▭ 🕐 *lun.-sam. 10h00-21h00 ; dim. 11h00-18h00* 🎟 *Century Shopping Center* ➡ *126*

L'endroit idéal pour dénicher des articles pour la maison, la cuisine et la salle de bains. Le style, classique, convient à une utilisation quotidienne comme aux grandes occasions, et les prix restent très corrects. Le premier étage est un vaste show-room destiné aux meubles.

Canyon Beachwear (14)

34 Hugus Alley, Pasadena, CA 91105 ☎ 626/564-0752

(Colorado Blvd) **Maillots de bain, accessoires** ▭ 🕐 *lun.-sam. 10h00-21h00 ; dim. 11h00-18h00* 🎟 *Beverly Center* ➡ *126 ; 2937 Main St., Santa Monica*

Ce magasin se singularise grâce à ses modèles soigneusement sélectionnés et ses créations originales. Tous les styles sont représentés, du une-pièce flamboyant à la "Pamela Anderson" au string à peine visible. On peut mélanger les tailles, trouver des maillots à jupette et si vous n'avez pas une silhouette irréprochable, pas de problème, le sympathique personnel vous dénichera le maillot idéal pour cacher vos kilos superflus.

Del Mano Gallery (15)

33 E. Colorado Boulevard, Pasadena, CA 91105 ☎ 626/793-6648

(Fair Oaks Ave) **Galerie d'art** ▭ 🕐 *lun.-jeu. 10h00-18h00 ; ven.-sam. 10h00-21h00 ; dim. 11h00-18h00* 🎟 *11981 San Vincente Blvd, Los Angeles* ☎ *310/476-8508*

Cette belle galerie d'art et d'artisanat américain est connue pour son raffinement. Laissez-vous tenter par ses céramiques, ses lampes, ses soies peintes à la main, ses verres et ses meubles, qui sont tous des modèles originaux et faits à la main. Des étiquettes permettent d'identifier leurs créateurs et résument leur carrière et leur philosophie.

Distant Lands (16)

56 S. Raymond Avenue, Pasadena, CA 91105 ☎ 626/449-3220

(E. Colorado) **Librairie de voyage** ▭ 🕐 *lun.-jeu. 10h30-18h00 ; ven.-sam. 10h30-21h00 ; dim. 11h00-18h00* @ *Emaildistantland@deltanat.com*

À court d'idées pour les vacances ? Faites une halte chez Distant Lands. Du sol au plafond, ses étagères sont remplies de guides, de superbes livres de photos et de manuels de langue. Une section entière est consacrée aux indispensables accessoires de voyage et les vendeurs très compétents ne reculent devant aucun effort pour satisfaire la clientèle.

Sans oublier

■ **CP Shades (17)** 20 S. Raymond Avenue, Pasadena, CA 91105 ☎ 626/564-9304 *Cette ligne californienne de prêt-à-porter féminin se distingue par de riches tons monochromes et par ses tissus teints à la main, souples et naturels, comme le lin, le coton et la soie.* ■ **Sur la Table (18)** 161 W. Colorado Blvd, Pasadena, CA 91105 ☎ 626/744-9987 *Que vous soyez un cuisinier amateur ou un véritable chef, vous trouverez ici tous les ustensiles qu'il faut pour concocter le soufflé ou le sushi idéal.* ■ **Urban Outfitters (19)** 139 W. Colorado Blvd, Pasadena, CA 91105 ☎ 626/449-1818 *Ce magasin branché, de style entrepôt, vend des modèles de créateurs et des meubles rigolos du monde entier.*

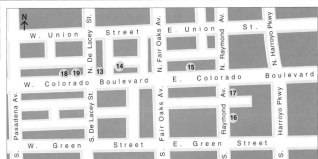

Colorado Boulevard constitue le cœur de la vieille ville de Pasadena. Ce quartier historique a subi un bon lifting au début des années 90. Depuis, il est extrêmement populaire : on s'y balade, on y dîne, on y regarde passer les gens et... on y fait du shopping.

Près de là
- **Dormir** : page 20
- **Se restaurer** : page 44
- **Sortir** : pages 68, 70, 74, 76, 78 et 80
- **Voir** : pages 86, 96 et 98

Acheter

Samuel French Theater & Film Bookshop (20)
7623 Sunset Blvd, Los Angeles, CA 90028 ☎ 323/876-0570

(N. Martel Ave) **Librairie** ☐ ☺ *lun.-ven. 10h00-18h00 ; sam. 10h00-17h00*
📍 *11963 Ventura Blvd, Studio City* ☎ *818/762-0535*

Vous recherchez le scénario d'*Autant en emporte le vent* ou la partition
d'*Oklahoma* ? Tous deux sont en vente chez l'incontournable Samuel
French Theater & Film Bookshop, qui possède tous les scénarios et textes
de théâtre jamais écrits. Les Spielberg en herbe pourront aussi fouiller
dans sa collection impressionnante consacrée à la direction d'acteurs,
à l'animation, aux effets spéciaux et à d'autres sujets du même ordre.

Hollywood Toys & Costumes (21)
6600 Hollywood Boulevard, Los Angeles, CA 90028 ☎ 323/464-4444

(Whitley Ave) **Jouets, déguisements** ☐ ☺ *lun.-ven. 9h00-21h30 ; sam. 10h00-
19h00 ; dim. 10h30-19h00*

Depuis un demi-siècle, les rois de l'accessoire et les fans d'Halloween se
croisent dans ce vaste empire de l'imagination. En entrant, jetez un coup
d'œil au monstre prisonnier sous le sol de verre, puis flânez parmi les
innombrables masques, perruques, pierres tombales, gargouilles, costumes
divers et cosmétiques. Les amateurs de look intergalactique craqueront
pour le costume d'Obi-Wan Kenobi ou la très sexy tenue Star Trek rouge.

Playmates (22)
6438 Hollywood Boulevard, Hollywood, CA 90028 ☎ 323/464-7636

(Wilcox Ave) **Lingerie** ☐ ☺ *tlj. 10h00-20h00*

L'aventure vous attend dans cette boutique à la vitrine provocante.
C'est ici, en effet, que les stripteaseuses locales achètent leurs dessous
en vinyle et leurs coquins talons hauts. Les non-professionnelles et celles
qui cultivent des goûts plus sages feront leur choix parmi les maillots
de bains pleins d'idées et la lingerie de dentelle. En sortant, admirez
la fresque *You are a Star*, peinte sur le mur côté Wilcox Avenue.

Panpipes Magickal Marketplace (23)
1641 Cahuenga Boulevard, Hollywood, CA 90028 ☎ 323/462-7078

(Selma Ave) **Ésotérisme** ☐ ☺ *tlj. 11h00-19h00*

Ce magasin d'articles ésotériques particulièrement encombré, le plus vieux
des États-Unis, a ouvert en 1961 et propose une large sélection d'huiles,
d'herbes, de potions et autres ingrédients magiques. En cas de doute,
consultez le personnel très qualifié. Il vous concoctera un produit
maison censé guérir tous vos maux, réels ou imaginaires. Ce haut lieu du
mysticisme vend aussi boules de cristal, chaudrons et planches de oui-ja.

Sans oublier

■ **Heaven 27 (24)** *6316 Yucca St., Hollywood, CA 90028* ☎ 323/871-9044
*La boutique de Sofia Coppola, fille de Francis Ford, distribue sa ligne de vêtements
Milkfed, très prisée des branchés d'Hollywood.* ■ **Frederick's of Hollywood
(25)** 6608 Hollywood Blvd, Hollywood, CA 90028 ☎ 323/466-8506 *La gamme
de lingerie féminine la plus folle et la plus kitsch, agrémentée d'un musée exposant
les sous-vêtements portés par les stars à l'occasion d'un film ou d'un spectacle.*

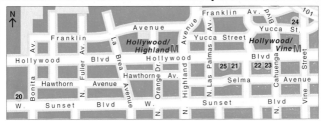

25

La ville des paillettes retrouvera bientôt son glamour grâce à une rénovation intensive. Un nouveau complexe est en cours de construction sur Hollywood Boulevard. Il devrait accueillir la cérémonie des oscars, qui avait déserté L.A., et devenir un haut lieu touristique, à l'instar du Hollywood Walk Fame et du Mann's Chinese Theater.

21

24

24

24

Vous mourez d'envie de rencontrer Pamela Anderson ou Richard Gere en chair et en os ? Augmentez vos chances en fréquentant les restaurants-bars à la mode ou prenez un ticket pour un enregistrement en studio. En cas d'échec, consolez-vous en vous offrant les tenues de scène ou personnelles de vos stars préférées dans les boutiques spécialisées de LA.

Acheter

It's a Wrap (26)
3315 W. Magnolia Avenue, Burbank, CA 91505 ☎ 818/567-7366

(N. California St.) Vêtements d'occasion 📋 🕐 *lun.-ven. 11h00-20h00 ; sam.-dim. 11h00-18h00*

Les costumes utilisés sur les plateaux de télévision ou de cinéma sont conservés dans la garde-robe du studio. Lorsqu'ils n'ont plus aucune utilité, ils aboutissent ici, où ils sont revendus au grand public après avoir été nettoyés et pourvus d'une étiquette indiquant dans quelle émission de TV ou dans quel film (comme *American Beauty*, *As Good as it Gets* ou *Charmed*) ils ont été portés. Ces articles coûtent de 30 à 90 % moins cher que chez les détaillants classiques. On peut ainsi s'offrir un T-shirt de *Beverly Hills 90210* pour 15 petits dollars. Il en ira tout autrement, cependant, s'il a effleuré l'épiderme de Sharon Stone ou de Jack Nicholson. Il sera alors considéré comme un objet de collection et estimé en conséquence.

Larry Edmunds (27)
6644 Hollywood Boulevad, Hollywood, Ca 90028 ☎ 323/463-3273

(Whitley Ave) Librairie, accessoires, curiosités 📋 🕐 *lun.-sam. 10h00-18h00*

On peut passer tout un après-midi à fureter dans cette passionnante boutique où l'on trouve, entre autres, des scénarios, des affiches, des photos de films et des vieux magazines. Edmunds se targue en outre de posséder la plus grande collection de livres consacrés au théâtre et au septième art.

The Place & Co (28)
8820 S. Sepulveda Boulevard, Westchester, CA 90045 ☎ 310/645-1539

(La Tijera Ave) Vêtements d'occasion 📋 🕐 *lun.-sam. 10h00-18h00*

Ouverte depuis plus de 36 ans, cette boutique vend à petit prix des modèles de haute couture quasi neufs. Hugo Boss, Oscar de La Renta, Helmut Lang y sont couramment en rayon. Tous les articles ont appartenu à une célébrité, mais leur identité reste secrète. Discrétion oblige !

Moletown (29)
900 La Brea, Hollywood, CA 90038 ☎ 323/851-01111

(Santa Monica Blvd et Melrose Ave) Accessoires 📋 🕐 *lun.-ven. 10h00-18h00 ; sam. 11h00-17h00*

Tous les articles de Moletown - des chapeaux aux vestes et aux T-shirts en passant par les chopes à café - sont agrémentés de photos ou de logos provenant d'émissions de TV, de sitcoms, de films contemporains tels que *Pokémon* ou de grands classiques comme *Le Magicien d'Oz* ou *Indiana Jones*.

Sans oublier

■ **Warner Bros Studios Store (30)** 4000 Warner Blvd, Burbank, CA 91522 ☎ 818/954-2550 *Des articles frappés du logo de la Warner ou décorés d'un personnage de dessin animé sont en vente dans ce magasin voisin du studio* ➥ 96. ■ **Reel Clothes & Props (31)** 12132 Ventura Blvd, Studio City, CA 91602 ☎ 818/508-7762 *Nombre de pièces des garde-robes de plateau finissent dans ce drôle de magasin. Les étiquettes identifient le studio, mais pas l'émission.* ■ **Paramount Pictures Store (32)** 5555 Melrose Ave, Los Angeles, CA 90036 ☎ 323/956-3036 *Une boutique particulièrement recommandée aux fans de Star Trek, filmé ici, à la Paramount* ➥ 96.

Près de là

- ◢ **Dormir :** pages 20 et 22
- ◢ **Se restaurer :** pages 46 et 48
- ◢ **Sortir :** pages 68, 72, 74, 76, 78 et 82
- ◢ **Voir :** page 136

Acheter

Three Dog Bakery (33)

8733 Santa Monica Blvd, West Hollywood, CA 90046 ☎ 310/657-1645

(Hanckock Ave) **Pâtisserie pour chien** ▣ ◷ *lun.-sam. 10h00-19h00 ; dim. 12h00-17h00* 🐾

Three Dog Bakery a connu un succès immédiat auprès de la race canine d'Hollywood. Il vous faudra un temps de réflexion avant de comprendre que ces pâtisseries si appétissantes sont en fait destinées à votre compagnon à quatre pattes. Faites-lui plaisir en lui offrant quelques gourmandises tout juste sorties du four : Pet-it-Fours, Pup Cakes ou nonosses glacés au chocolat.

Bodhi Tree (34)

8585 Melrose Avenue, West Hollywood, CA 90069 ☎ 310/659-1733

(Westbourne Dr.) **Librairie** ▣ ◷ *tlj. 10h00-23h00 / occasions tlj. 10h00-19h00*

La plus complète des librairies ésotériques comprend les rayons les plus divers, de la guérison psychique aux objets volants non identifiés. Elle vend aussi des cristaux, de l'encens, des huiles et d'autres articles *new age*. Des voyants et des livres d'occasion vous attendent dans l'arrière-salle.

Elixir Tonics & Teas (35)

8612 Melrose Avenue, West Los Angeles, Ca 90046 ☎ 310/657-9300

(Huntley Ave) **Thé, infusions** ▣ ◷ *lun.-ven. 10h00-20h00 ; sam. 10h00-18h00 ; dim. 11h00-18h00* 🐾 ✖

Elixir est une oasis de tranquillité. Ses cofondateurs, Jeffrey Stein et Edgar Veytia, se sont voués à la sauvegarde de votre bien-être, et comptent parmi leurs clients Sharon Stone et Marisa Tomei. Leurs thés et leurs potions exclusives, spécialement concoctés par les herboristes maison, n'utilisent que des ingrédients de premier choix. Testez l'Echinacea Royale pour chasser le rhume et le Lover's Rose pour ranimer vos appétits.

Soolip Paperie & Soolip Bungalow (36)

8646 Melrose Avenue, West Hollywood, CA 90046 ☎ 310/360-1512

(Roberston Blvd) **Art de la maison, papeterie** ▣ ◷ *lun.-sam. 11h00-19h00 ; dim. 12h00-17h00*

Vaste magasin où le bon goût est roi, installé dans une sorte de hameau constitué de bungalows. Vous y trouverez des cadeaux pour ceux qui ont déjà tout. De nombreuses fournitures pour les agrémenter, papier cadeau fait main, cartes pleines d'esprit et encres parfumées sont disponibles à la Paperie. Le Bungalow, quant à lui, vend de somptueux accessoires pour le lit et le bain et de ravissants meubles pour la maison.

Sans oublier

■ **Hustler Hollywood (37)** 8920 Sunset Blvd, West Hollywood, CA 90046 ☎ 310/860-9009 *La fille de Larry Flint, premier pornographe mondial, dirige ce magasin rempli de lingerie, d'accessoires érotiques, de vidéos et de littérature pour tous les goûts, du raffiné au sordide.* ■ **Tower Records (38)** 8801 Sunset Blvd, West Hollywood ☎ 310/657-7300 *Ce magasin légendaire a plus de 100 000 CD en stock. Musique classique : 8844 Sunset Blvd.* ■ **Lemon Tree Bungalow (39)** 8727 Santa Monica Blvd, West Hollywood, CA 90046 ☎ 310/657-0211 *Un charmant bungalow, bourré d'accessoires pour la maison et de cadeaux originaux choisis par la propriétaire, Michelle Whang.*

Le très branché West Hollywood est un havre d'hédonisme. Coupé par le Sunset Strip bordé de night-clubs légendaires ➡ 72, comme le Roxy et le Whisky and Viper Room, il abrite une population de créatifs de pointe dont le Pacific Design Center est le QG et constitue le cœur de la communauté gay.

Près de là
- **Dormir :** pages 22 et 24
- **Se restaurer :** pages 44, 46, 48, 50 et 52
- **Sortir :** pages 68, 72, 74, 76, 78 et 82
- **Voir :** pages 86, 96, 98 et 100

Acheter

Jet Rag (40)
825 N. La Brea, Los Angeles, CA 90036 ☎ 323/393-0528

(xxxxxx) **Vêtements d'occasion** 🕐 *lun.-sam. 11h30-20h00 ; dim. 11h00-19h30* **Slow** *7474 Melrose Ave, Los Angeles* ☎ *323/655-3725*

Les premières choses que l'on remarque chez Jet Rag sont les faux missiles de la façade pointés sur l'arrivant et les imitations de squelettes d'animaux qui servent de portemanteaux. Ce vaste entrepôt est rempli de vêtements américains en bon état, datant pour la plupart de l'après-guerre. Les ventes à $ 1 du jeudi et du dimanche sont très prisées des accros de la mode. Pour faire de bonnes affaires, venez de bonne heure.

Jon Valdi (41)
8111 Melrose Avenue, Los Angeles, CA 90019 ☎ 323/653-3455

(Westbourne Dr.) **Prêt-à-porter féminin, masculin** ▢ 🕐 *lun.-sam. 10h00-18h00*

Si vous rêvez de ressembler à une couverture de magazine, précipitez-vous dans le magasin amiral de Jonathan Meizler et German Valdivia. Leurs créations se distinguent par leurs tissus de luxe, leurs coupes impeccables et leurs finitions irréprochables grâce auxquels ils ont conquis une clientèle de célébrités.

Off the Wall (42)
7325 Melrose Avenue, Los Angeles, CA 90046 ☎ 323/930-1185

(Fuller Ave) **Antiquités, curiosités** ▢ 🕐 *lun.-sam. 11h00-20h00*

Une visite chez Off the Wall est un voyage à travers un siècle de culture populaire américaine. L'assortiment toujours renouvelé de ses articles kitsch et de ses objets de brocante va, selon les jours, du juke-box géant aux statues grecques en imitation marbre et des enseignes au néon aux radios du temps de la Dépression, le tout rangé au petit bonheur.

Necromance (43)
7220 Melrose Avenue, Los Angeles, CA 90046 ☎ 323/934-8684

(Alta Vista Blvd) **Curiosités** ▢ 🕐 *lun.-sam. 12h00-19h00 ; dim. 13h00-19h00*

Le genre gothique est peut-être passé de mode mais Necromance est toujours d'actualité. Les crânes et les os provenant d'humains ou d'animaux, les planches d'insectes et de papillons, les souris confites dans le formol et les instruments chirurgicaux continuent de fasciner une certaine clientèle. Une boutique idéale pour satisfaire ses fantasmes morbides et se familiariser avec un autre aspect de L.A.

Sans oublier

■ **Sacks SFO (44)** 652 N. La Brea, Los Angeles, CA 90036 ☎ 323/939-3993 *Proposant des maxi-affaires dans un décor réduit au minimum, Sacks S.F.O. est une destination rêvée pour les branchés au budget serré. Actualisez votre garde-robe avec des modèles de créateurs de la Californie ou d'ailleurs, du costume trois-pièces à la robe du soir moulante, puis faites votre choix parmi les accessoires judicieusement sélectionnés. Autres succursales dans les pages jaunes de l'annuaire.* ■ **Wound & Wound Toy Shop (45)** 7374 Melrose Avenue, Los Angeles, CA 90046 ☎ 323/653-6703 *Une sélection de jouets mécaniques et de boîtes à musique à vous faire tourner la tête. Il y en a pour tous les goûts et tous les budgets, et même pour les collectionneurs.*

Melrose Avenue tient toujours son rang parmi les quartiers de shopping les plus drôles et les plus bariolés de L.A. On y fait provision de modèles excentriques ou sagement sport, de cadeaux bizarroïdes et d'accessoires originaux.

Près de là
- **Dormir :** pages 22 et 24
- **Se restaurer :** pages 48, 50, 52 et 56
- **Sortir :** pages 70 et 72
- **Voir :** pages 86, 100 et 102

Acheter

Curve (46)
154 N. Robertson Boulevard, Los Angeles, CA 90035 ☎ 310/360-8008

(Beverly Blvd) **Prêt-à-porter féminin** ▤ 🕒 *lun.-sam. 11h00-19h00 ; dim. 12h00-18h00*

Pour savoir ce que des stars comme Cameron Diaz ou Mira Sorvino porteront cette saison, poussez la porte de cette boutique minimaliste, spécialisée dans les modèles de pointe dus à une armada de jeunes créateurs, la plupart de Los Angeles. N'oubliez pas la ligne propre de la propriétaire, Delia Seaman, et les bijoux de son associée, Nevenan Borissova.

Storyopolis (47)
116 N. Robertson Boulevard, Los Angeles, CA 90035 ☎ 310/358-2500

(Alden Dr.) **Librairie** ▤ 🕒 *lun.-sam. 10h00-18h00 ; dim. 10h00-16h00*

Petits et grands adorent explorer les rayons de cette charmante librairie, débordante d'intelligents livres pour enfants. Les contes de fées y côtoient les aventures d'Harry Potter et les bibles illustrées ; des illustrations à tirage limité extraites d'éditions enfantines sont exposées dans la galerie ; des lecteurs et conteurs viennent animer les diverses activités.

Harari (48)
110 N. Robertson Boulevard, Los Angeles, CA 90035 ☎ 310/275-3211

(Alden Dr.) **Prêt-à-porter féminin** ▤ 🕒 *lun.-sam. 10h00-19h30 ; dim. 12h00-18h00*

Cet élégant magasin de style loft, agrémenté d'un atrium et d'un palmier, met pleinement en valeur la collection de modèles originaux aux lignes fluides et flatteuses. Que vous cherchiez un ensemble sans chichis ou une robe du soir sexy, vous avez toutes les chances d'y trouver votre bonheur. Des soies, des velours et des motifs chinois ou japonais imprimés à la main caractérisent les collections de leur créateur, basé à L.A.

Village Studio (49)
130 S. Robertson Boulevard, Los Angeles, CA 90035 ☎ 310/274-3400

(3rd St.) **Art de la maison, bijoux, accessoires** ▤ 🕒 *lun.-sam. 11h00-18h00 ; dim. 12h00-17h00*

À la recherche d'un cadeau original, pour offrir ou tout simplement pour soi ? Poussez la porte de Village Studio, vous y dénicherez des pièces uniques en céramique, verres, chandeliers, peintures, la plupart signées d'artistes californiens. Certains y vont pour son argenterie sophistiquée, dessinée par Laura M. qui a déjà séduit Brooke Shields et Michelle Pfeiffer.

Sans oublier

■ **Loehman's (50)** 333 S. La Cienaga Blvd, Beverly Hills, CA 90211 ☎ 310/659-0674 *Des vêtements classiques de créateurs pour les élégants aux moyens limités.* ■ **New Stone Age (51)** 8407 W. Third St., Los Angeles, CA 90046 ☎ 323/658-5969 *Une boutique d'art et d'artisanat californiens aux articles souvent malicieux et colorés.* ■ **Seaver (52)** 8360 W. Third St., Los Angeles, CA 90046 ☎ 323/653-8286 *Des modèles abordables et faciles à porter, conçus par la créatrice angelinos Nathalie Seaver. Un style intemporel relevé de touches très actuelles.* ■ **Cook's Library (53)** 8373 W. Third St., Los Angeles, CA 90046 ☎ 323/655-3141 *Fatigué des œufs sur le plat ? Vous trouverez ici l'un des plus grands choix de livres de cuisine existant.*

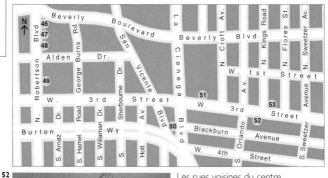

52

Les rues voisines du centre commercial de Beverly Center sont bordées de restaurants, de cafés élégants et de boutiques de créateurs. Ce quartier, à l'atmosphère hybride et intense, marie la créativité de West Hollywood ➡ 136, au nord, et la sophistication de Beverly Hills ➡ 142, à l'ouest.

47

49

47

48

Près de là
- **Dormir** : page 24
- **Se restaurer** : pages 50, 52 et 56
- **Sortir** : pages 70 et 72
- **Voir** : pages 86 et 102

Acheter

The Cheese Store (54)
419 N. Beverly Drive, Beverly Hills, CA 90210 ☎ 310/278-2855

(Brighton Way) Épicerie fine ☐ 🕐 *lun.-sam. 10h00-18h00*

Beverly Hills a ses institutions et cet exquis magasin en est une depuis 1967. On y déniche des centaines de fromages rares et artisanaux, la plupart importés de France, d'Italie et de Suisse. Si vous êtes perdu, le personnel, charmant, se fera un plaisir de vous conseiller et même de vous aider à choisir un vin d'accompagnement. Les connaisseurs du quartier y font le plein de gourmandises diverses : foie gras, caviar, truffes blanches…

Williams-Sonoma (55)
339 N. Beverly Drive, Beverly Hills, CA 90210 ☎ 310/274-9127

(Brighton Way) Art de la maison ☐ 🕐 *lun.-sam. 10h00-18h00 ; dim. 12h00-17h00* ☐ *Beverly Center* ➡ *126*

Cette Mecque de l'ustensile de cuisine a de nombreux fidèles. On y trouve de tout : des spatules en plastique, des râpes à truffes, des batteries de première qualité, des appareils ménagers, et même des articles alimentaires superbement emballés. Le magasin accueille des cours de cuisine hebdomadaires et un bar à dégustation d'huile et de vinaigre. Plusieurs succursales à L.A., y compris à Beverly Center ➡ 126.

Flora Design (56)
312 N. Beverly Drive, Beverly Hills, CA 90210 ☎ 310/274-9127

(Dayton Way) Accessoires ☐ 🕐 *lun.-sam. 10h00-19h00 ; dim. 12h00-18h00*

Ce petit magasin ressemble à une caverne d'Ali Baba. Ici, un râtelier de peignes, un panier débordant de chouchous, une table couverte d'épingles à cheveux multicolores ; là, une étagère où s'accumulent les bandeaux. Pour changer de coiffure à moindre prix, demandez la création maison, le Fun Bun, des postiches faits main déclinés dans tous les tons et textures.

The Wine Merchant (57)
9701 Santa Monica Blvd, Beverly Hills, CA 90210 ☎ 310/278-7322

(Roxbury Dr.) Vins, spiritueux ☐ 🕐 *lun.-ven. 9h30-18h00 ; sam. 10h00-18h00* 🍸

Quand il ouvrit ce magasin, en 1971, Dennis Overstreet savait exactement ce qu'attendait sa clientèle célèbre et fortunée : des vins rares, délectables et de premier choix. Son empire, qui s'est beaucoup étendu depuis, donne toujours la priorité aux grands crus, mais ils partagent la vedette avec les purs malts, le caviar et les cigares. On peut déguster plus de trente vins dans cet établissement élégant qui fait bar après 16h.

Sans oublier

■ **Niketown (58)** 9560 Wilshire Blvd, Beverly Hills, CA 90212 ☎ 310/275-9998 *Cette enseigne de la côte Ouest a pour particularité de vous livrer vos achats à la caisse par pneumatique !* ■ **Anthropologie (59)** 320 N. Beverly Dr., Beverly Hills, CA 90210 ☎ 310/385-7390 *Vêtements exotiques à superposer, cadeaux et accessoires pour la maison, plutôt tendance* flower power*. Succursale au 1402 Third Street Promenade, Santa Monica.* ■ **A Gold E (60)** 9458 Brighton Way, Beverly Hills, CA 90210 ☎ 310/858-1844 *"Pour les Américains curieux", dit la pub. Des jeans et du sportswear très actuels pour les anti-Levi's et Gap.*

Beverly Hills a son paradis de la consommation : le tapageur Rodeo Drive. C'est ici qu'il faut chercher les créateurs internationaux comme Prada, Versace et Gucci.

Risquez-vous dans les rues voisines du Triangle d'Or : vous y trouverez des boutiques uniques, et surtout beaucoup plus abordables.

Près de là

- **Dormir :** pages 28 et 30
- **Se restaurer :** pages 46, 56 et 58
- **Sortir :** pages 68, 70, 74 et 80
- **Voir :** pages 86, 96, 106 et 108

Acheter

Wild Oats Market (61)
500 Wilshire Avenue, Santa Monica, CA 90401 ☎ 310/395-8489

(5th St.) **Produits naturels** 🅾 *tlj. 8h00-22h00* ▥ *603 S. Lake Ave, Pasadena* ☎ *626/792-1778 ; 8611 Santa Monica Blvd, West Hollywood* ☎ *310/854-6927*

Tofu organique, hamburgers sans viande, pizza végétalienne, lait sans lactose... Les accros de l'alimentation saine trouveront leur bonheur dans ce supermarché voué à la santé et à la longévité. Profitez-en pour vous offrir une séance relaxante sous les doigts du masseur maison.

Banana Republic (62)
1202 Third St. Promenade, Santa Monica, CA 90401 ☎ 310/394-7740

(Wilshire Blvd) **Prêt-à-porter** ▨ 🅾 *lun.-jeu. 10h00-21h00 ; ven.-sam. 10h00-23h00 ; dim. 11h00-20h00* ▥ *357 N. Beverly Dr., Beverly Hills* ☎ *310/858-7900*

Une verrière spectaculaire illumine l'extravagant hall de style *Streamline*. Inspiré par la mode safari, Banana Republic a gagné en élégance sans rien perdre de son allure détendue et confortable. Essayez ses vêtements de lin, laine, coton et cuir dans une palette de couleurs naturelles et ses nouvelles lignes de bijoux, articles de table, chaussures et produits de beauté.

Restoration Hardware (63)
1221 Third St. Promenade, Santa Monica, CA 90401 ☎ 310/458-7992

(Wilshire Blvd) **Art de la maison** ▨ 🅾 *lun.-jeu. 10h00-21h00 ; ven.-sam. 10h00-22h00 ; dim. 11h00-20h00* ▥ *Beverly Center, Pasadena* ☎ *626/795-7234*

Ne vous fiez pas à la vitrine où sont exposés visserie, outils de jardinage et huisserie, car ce magasin ne ressemble en rien à la quincaillerie du coin. Vous y trouverez en réalité toutes sortes d'articles de maison, de l'éponge Violino aux fauteuils de cuir, le tout superbement présenté. Les meubles, accessoires de salle de bains, articles ménagers et de jardinage, de fabrication semi-industrielle, sont d'une qualité et d'un goût parfaits.

Fred Segal (64)
500 Broadway, Santa Monica, CA 90401 ☎ 310/393-4477

(5th St.) **Prêt-à-porter, accessoires** ▨ 🅾 *lun.-sam. 10h00-18h00 ; dim. 12h00-18h00* ▱

Cet essaim de boutiques, véritable nirvana de la mode destiné aux deux sexes, compte parmi ses fidèles des célébrités comme Cameron Diaz et Helen Hunt. Des rayons entiers de modèles de créateurs ultra-branchés rivalisent avec les produits de beauté écologiques, accessoires et cadeaux.

Sans oublier

■ **The Disney Store (65)** 1337 Third St. Promenade, Santa Monica, CA 90401 ☎ 310/576-6554 *Des produits dérivés Disney aux couleurs de vos héros favoris.* ■ **Puzzle Zoo (66)** 1413 Third St. Promenade, Santa Monica, CA 90401 ☎ 310/393-9201 *Peut-être le plus grand magasin de puzzles existant. Il vend aussi de nombreux jeux et des jouets malins et éducatifs.* ■ **Hear Music (67)** 1429 Third St. Promenade, Santa Monica, CA 90401 ☎ 30/319-9527 *Une mine de musiques ethniques et alternatives venues des quatre coins du monde, avec un personnel attentif.* ■ **ZJ Boarding House (68)** 2619 Main St., Santa Monica, CA 90405 ☎ 310/392-5646 *Les spécialistes de la glisse ; surf, skate, snowboard, rollers...et des accessoires bien sélectionnés. Pour les pro des X. Games.*

En matière de shopping, Santa Monica est l'un des meilleurs quartiers de L.A. La plupart des magasins, des grandes chaînes aux boutiques uniques, se concentrent sur l'artère piétonnière de Third Street Promenade. Élargissez votre choix en visitant Santa Monica Place ➡ 126.

JACK

66

RESTORATION HARDWARE

63

STOP

ALL WAY

Quartiers géographiques

Downtown L.A. sert de référence
géographique pour s'orienter. Les
Angelinos se réfèrent souvent à des entités
qu'il est nécessaire de connaître :

Midtown zone entre Downtown L.A.
et Beverly Hills englobant Koreantown
et le Museum Mile sur Mid-Wilshire

Westside Bel-Air, Brentwood, Westwood
et Pacific Palisades

South Bay cités balnéaires dont Venice,
Manhattan Beach, Hermosa Beach, Redonda
Beach, Palos Verdes et Long Beach

San Gabriel Valley (nord-est) Pasadena, San
Marino, San Gabriel, Alhambra et Arcadia

San Fernando Valley comprend, entre
autres, Glendale et Burbank

Los Angeles

C'est la plus grande ville de Californie et la seconde des États-Unis après Chicago. Los Angeles County s'étend sur plus de 55 000 km² et englobe 88 villes pour une population de 14,5 milions d'habitants.

6
Cartes
et plans

Freeways

Noms et numéros des principaux *freeways* depuis Downtown

I-5 Golden State Fwy (nord-ouest vers Baskerfield)
I-5 Santa Ana Fwy (sud-est vers Irvine)
I-10 San Bernardino Fwy (est vers San Bernardino)
I-10 Santa Monica Fwy (ouest vers Santa Monica)
I-110 Harbor Fwy (sud vers San Pedro)
I-110 Pasadena Fwy (nord vers Pasadena)

I-210 Foothill Fwy (est)
I-405 San Diego Fwy (sud-est)
I-605 San Gabriel River Fwy (sud)
I-710 Long Beach Fwy (sud)

US 101 Hollywood Fwy (nord-ouest vers I-170)
US 101 Ventura Fwy (de I-134 nord vers Ventura)

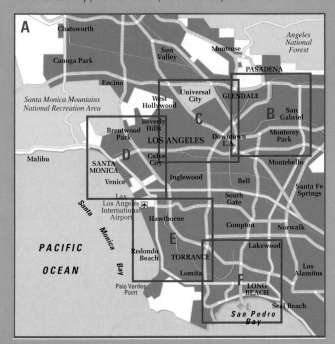

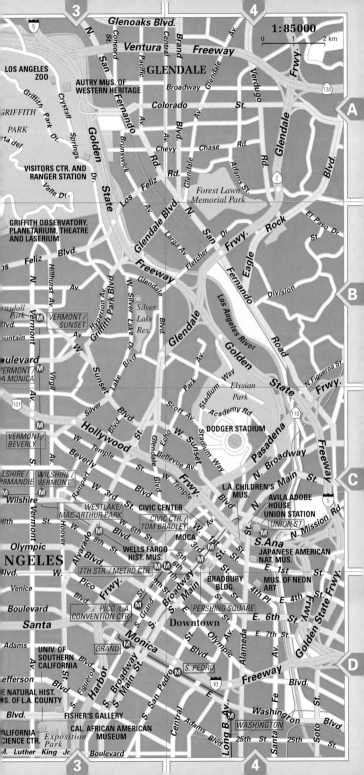

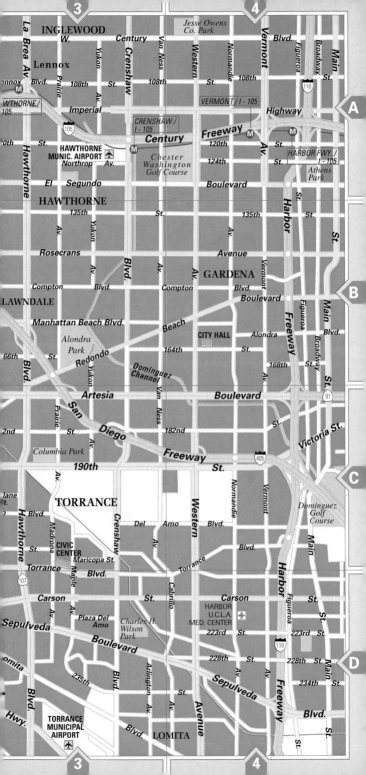

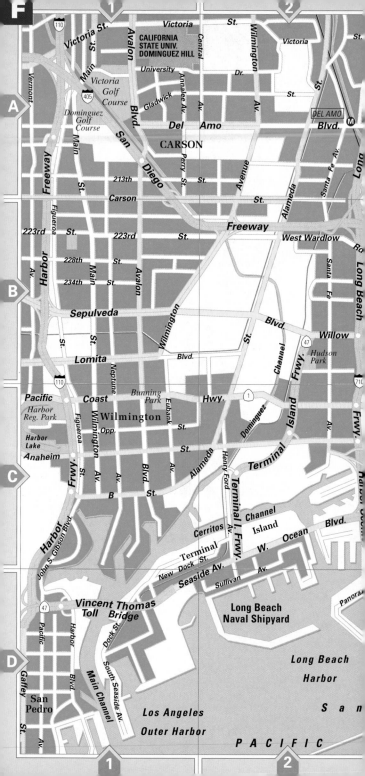

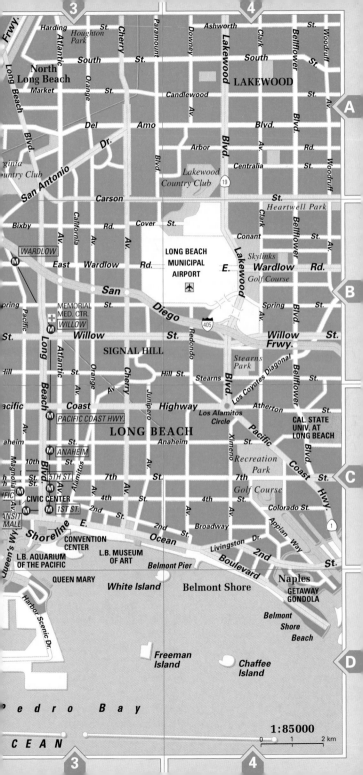

Pour chaque rue citée ci-dessous :
la carte correspondante (A, B, C,
D, E ou F) suivie du carroyage
qui vous permet de la repérer
facilement sur cette carte.

Index
des rues

Toutes les informations pratiques, renseignements et numéros utiles concernant le voyage et la vie à Los Angeles sont présentés dans la partie "Arriver" en pages 6-13.

Index
général

Merci à Nik Wheeler, aux *Los Angeles* et *Long Beach Convention and Visitors Bureaux*, et à tous les établissements présentés dans ce guide pour leur coopération.

Crédits
photographiques

1 et couverture ill. Denis Brumeaud
6 Gallimard / Sophie Lenormand
8-9 Gallimard / Sophie Lenormand, The Encounter - CA One Services, Inc / Tom Paiva
10-11 Gallimard / Sophie Lenormand
12-13 Gallimard / Patrick Léger (monnaie, journaux, magazines), Gall. / S. Lenormand (téléphone, O.T. Santa Monica, distributeurs journaux)
14 Casa del Mar
17 1 Westin Bonaventure Hotel & Suites, 6 New Otani Hotel
19 8 Saga Motel, 9 Ritz Carlton Huntington Hotel & Spa, 10 Bissel B & B
21 17 Hollywood Roosevelt Hotel, 18 Highland Gardens Hotel
23 19 Gall. / Sophie Lenormand, 20 The Standard / Tod Eberly, 21 Mondrian Hotel, 22 Sunset Marquis Hotel & Villas, 24 Le Parc Suite Hotel
25 29 Regent Beverly Wilshire, 34 Four Seasons Beverly Hills
27 37 Bel-Air Hotel, 39 W
29 43 Channel Rd Inn, 44 Hotel Oceana, 46 Shangri-La, 51 Hotel Carmel
31 53 Hotel Casa del Mar, 54 Cadillac Hotel, 55 Gall. / S. Lenormand, 57 Shutters on the Beach, Gall. / Sophie Lenormand (vue extérieure)
33 61 Seaview Inn, 62 Gall. / S. Lenormand, 63 Portofino Hotel & Yacht Club
35 65 Lord Mayor's Inn, 66 Inn of Long Beach, 68 The Queen Mary

36 Nik Wheeler
39 1 Ciudad, 2 Cafe Pinot / Grey Crawford, 3 Water Grill
41 Gall. / Sophie Lenormand (Chinatown), 8 Gall. / S. Lenormand, 9 Philippe the Original
43 11 Nik Wheeler, 13 Bistrot 45, 14 Parkway Grill
45 18 Gall. / Sophie Lenormand, 20 Patina, 21 Gall. / S. Lenormand
47 24 Gall. / S. Lenormand, 26 The Lobster
49 28 Jozu, 29 Lucques / Edmund Barr, 30 Nik Wheeler
51 36 Nate 'n' Al, 37 Crustacean, 38 Spago Beverly Hills, 39 Gall. / S. Lenormand
53 42 Gall. / Sophie Lenormand, 43 Campanile / Barry Michlin, 45 Nik Wheeler
55 46 La Cachette, 47 Woodside / Martin Cohen, 49 Bombay
57 53 Gall. / Sophie Lenormand, 54 Houston's, 55 Nik Wheeler
59 57 Nik Wheeler, 58 Nik Wheeler, 59 Il Fornario, 61 El Cholo / Brian Leatart
61 63 Nik Wheeler, 67 C & O Trattoria / Larry A. Falke
63 70 Kincaid's, Gall. / S. Lenormand (vue extérieure)
65 75 L'Opéra, 77 Belmont Brewing, 78 The Queen Mary
66 Harvelle's
69 1 North / Kelly Sedei, 4 Circle Bar
71 5 Yamashiro, 15 Three Clubs / Kelly Sedei
73 19 House of Blues, 22 Sky Bar
75 25 Nik Wheeler, 26 Silent Movie, 28 Nik Wheeler, 30 Nik Wheeler,

33 Ahmanson Theater / Craig Schwartz
77 36 Luna Park, Luna Park / Elena Dorfman (vues intérieures), 40 Gall. / S. Lenormand
79 43 Vynyl, 47 The Derby
81 49 Catalina Bar & Grill, 50 Harvelle's, 51 Babe & Ricky's Inn
83 57 Garden of Eden, 59 The Playroom, 62 The Gate / Paul Dennler
84 Nik Wheeler
89 1 Nik Wheeler, 6 Nik Wheeler, 7 L.A. Children Museum / Andrew Comins, 9 Nik Wheeler
91 10 The Natural History Museum of L.A. County, 13 Fisher's Gallery
93 14 The Gamble House / 1992 Thimothy Street-Porter, 16 Norton Simon Museum, 17 Nik Wheeler
95 21 Gallimard / Sophie Lenormand, 23 Autry Museum of Western Heritage / Susan Einstein, 24 Griffith Observatory / E.C. Kropp, 25 Gall. / S. Lenormand, 26 Nik Wheeler
97 27 Universal studios / 1999 Universal Studios (scène tournage, King Kong, Retour vers le futur), Inc., Nik Wheeler (Prehistoric Tour), Gall. / Sophie Lenormand (sigle Universal), 29 Paramount Studios / LACVB - Michele & Tom Grimm
99 32 Gallimard / Sophie Lenormand, 35 Gall. / S. Lenormand, 36 Gall. / S. Lenormand, 37 Gall. / S. Lenormand
101 40 Gall. / Sophie Lenormand, 41 Los Angeles County Museum of Art, 42 Peterson Automotive Museum, 43 Carole & Barry Kaye Museum of Miniatures
103 45 City of Beverly Hills, 47 Museum of Television and Radio / Grant Mudford, 48 Museum of Tolerance
105 50 Nik Wheeler, 55 Nik Wheeler
107 56 LACVB / Michele & Tom Grimm, 59 LACVB / Michele & Tom Grimm, Gall. / S. Lenormand (canaux de Venice)

109 64 Nik Wheeler, 65 Nik Wheeler, 66 Gall. / S. Lenormand, 67 Nik Wheeler
111 69 Long Beach Aquarium of the Pacific / LACVB - Michele & Tom Grimm, 70 The Queen Mary / LACVB, 73 Gall. / Sophie Lenormand
112 Nik Wheeler
117 1 Six Flags Magic Mountains / LACVB, 2 Nik Wheeler, 3 Nik Wheeler
119 7 Nik Wheeler, 8 Nik Wheeler, 9 Nik Wheeler, 11 Gall. / S. Lenormand, 13 Nik Wheeler
121 16 Nik Wheeler, 17 Nik Wheeler, 19 Nik Wheeler, 20 Nik Wheeler
123 22 Nik Wheeler, 23 Nik Wheeler
124 Gall. / Sophie Lenormand
126-127 1 Gall. / Sophie Lenormand, 3 Century City Center
129 7 San Antonio Winery, 8 Gall. / Patrick Léger, 10 Gall. / S. Lenormand
131 14 Canyon Beachwear, 16 Distant Lands, 17 CP Shades, 19 Urban Outfitters / Vittoria Visuals
133 21 Hollywood Toys & Costumes, 24 Heaven 27, 25 Gall. / S. Lenormand
135 26 It's a Wrap, 27 Larry Edmunds, 31 Reel Clothes & Props
137 33 Gallimard / Sophie Lenormand, 34 Bodhi Tree, 35 Elixir Tonics & Teas, 36 Soolip Paperie & Soolip Bungalow
139 40 Jet Rag, 41 Jon Valdi, 43 Necromance, 45 Gall. / S. Lenormand
141 47 Storyopolis, 48 Harari, 49 Village Studio, 52 Seaver
143 54 The Cheesestore, 56 Flora Design, 58 Niketown L.A., 60 A Gold E
145 63 Restoration Hardware, 66 Gall. / S. Lenormand
146 Gallimard / Sophie Lenormand